¿Dónde está mi felicidad?

¿Dónde está mi felicidad?

Por qué buscar la felicidad
puede impedirte ser feliz

Jorge Guasp

STAR SEED

Colección Potencial Humano. Starseed Ediciones
Impreso por Book Masters Group
Abril de 2012
ISBN: 978-84-939113-2-4
Depósito Legal: B-11799-2012
Hecho e impreso en España
Made and printed in Spain

Índice

Introducción

Vivimos inmersos en una búsqueda incesante. Buscamos conocimientos, para saber más y poder competir con otros en la búsqueda de trabajo. Cuando esos conocimientos se transforman en un título o certificación, establecen una división y un orden de jerarquía dentro de la sociedad. Buscamos ganar más dinero, para obtener los bienes y servicios que deseamos. Buscamos el amor, primero en una pareja, y luego en nuestros hijos. Si la relación conyugal no prospera, recomenzamos la búsqueda. Cuando consideramos que ya tenemos todo (amor, dinero suficiente, una carrera que nos satisface, una casa cómoda, etc.), partimos en busca de alternativas que nos hagan más felices: un nuevo trabajo, un nuevo lugar donde vivir, una casa más cómoda... Si nos sobra dinero, iniciamos la búsqueda de opciones para invertir ese excedente.

La mayoría de las parejas busca hijos. Los padres buscan que sus hijos hagan lo que ellos no pudieron hacer. Los hijos buscan que sus padres complazcan sus deseos.

Como Marcel Proust en su obra, buscamos también el tiempo perdido: buceamos en nuestra memoria a fin de recuperar los recuerdos de la infancia, aquellos momentos en que éramos jóvenes, y el mundo parecía simple y colmado de alegría.

Buscamos siempre algo más: el billete de lotería que nos salvará de la pobreza, el amor que nos hará felices para siempre, el trabajo en que nos sentiremos útiles y en que seremos bien remunerados.

En este análisis de nuestras búsquedas, brindaré a través del texto ejemplos relacionados con la naturaleza, porque creo que podemos aprender mucho de ella. Al fin de cuentas, somos seres biológicos como los animales, y lo que nos separa de ellos no es tanto como a veces pensamos. En mi trabajo, en contacto íntimo con la naturale-

13

za, he llegado a envidiar a los animales: tan libres, con una existencia tan simple y tan bella al mismo tiempo…

No estoy diciendo que haya algo de malo en la acción de buscar. De hecho, los animales pasan su vida buscando comida, abrigo, agua, etc. La diferencia es que ellos saben qué buscan, saben cómo conseguirlo, y sobre todo, saben para qué lo quieren. Nosotros, en este afán de hacer e indagar sin saber muy bien qué buscamos y para qué, nos perdemos en la búsqueda. Y cuando encontramos lo que creíamos buscar, vemos que no nos depara la felicidad esperada.

Nuestra búsqueda es cada vez más compleja, puesto que cada vez hay más de todo para buscar: más información, más tecnología, más seres humanos, más automóviles, más carreras profesionales… En ocasiones, obsesionados por esta pesquisa incesante, buscamos sin siquiera imaginar qué contendrá el tesoro escondido que tanto anhelamos, y sin saber en qué medida el hallazgo de ese tesoro cambiará nuestras vidas.

Obsesionados por buscar, no disfrutamos de la vida. Si alguien te dijera que hay un tesoro millonario escondido en el jardín de tu casa, y te pusieras a cavar para encontrarlo, ¿disfrutarías de la tarea de cavar? ¿Estarías presente mientras cavas, o te perderías la vida en tu afán por hallar un tesoro que quizá nunca encontrarás? ¿Qué sería de tu vida si finalmente nunca apareciera? ¿Qué pasaría contigo si la historia del tesoro fuera sólo una ilusión? ¿Sería acaso tu vida parte de esa ilusión?

Buscar para satisfacer necesidades básicas es parte natural de la vida. Buscar para ser más de lo que somos, en cambio, es una patología humana. Ya somos todo lo que podemos ser. No hay nada más que buscar. En todo caso, lo que podemos buscar es el modo de cesar nuestra búsqueda. Y de eso trata este libro.

Aclaración

El término "felicidad" es ambiguo, y abarca un amplio espectro de experiencias entre la felicidad de conseguir lo que uno desea, y el mero gozo de sentirse profundamente vivo. Dado que no existe una única interpretación de la palabra "felicidad", y su empleo en este texto puede generar incluso falsas expectativas, deseo aclarar que lo utilizo, sobre todo en el título, como sinónimo de paz interior, alegría o gozo. No me refiero, por lo tanto, a la felicidad derivada de la consecución de determinada meta (dinero, trabajo, amor, etc.), sino a la experiencia opuesta, es decir, la capacidad de experimentar la mera dicha de estar vivo, con independencia de qué hagamos o cuánto tengamos.

El autor

PRIMERA PARTE: OBSERVACIÓN Y BÚSQUEDA

Existe una división entre el mundo natural y el artificial. Y con esa división comienza nuestra búsqueda

El hombre ha subyugado a la naturaleza, y ha desarrollado un mundo artificial (edificios, carreteras, puentes, redes de servicios, etc.), para su propio beneficio. Cuando uso el término "artificial" no me refiero a que ese mundo sea espurio o falso. Digo simplemente que se contrapone al mundo natural (bosques, ríos, mares, etc.), que nace y se desarrolla sin que medie la intervención humana.

En tiempos remotos, el comportamiento del hombre se asemejaba al de un animal: su vida consistía en encontrar directamente en la naturaleza los elementos que le permitieran sobrevivir y reproducirse. Y el hombre consagraba la mayor parte de su tiempo a esa tarea.

En la actualidad, esa búsqueda no se basa en conseguir el sustento en el mundo natural. La mayoría de la población no consigue lo que necesita tomándolo directamente de la naturaleza. Recurre a alguna actividad remunerada, y utiliza el dinero para adquirir los bienes y servicios que le permiten sobrevivir. Un punto clave del conflicto humano es que el hombre no se limita a mantenerse con vida, como lo hacía en épocas pasadas, sino que debe trabajar arduamente para conseguir bienes y servicios que le otorguen comodidad.

El límite entre lo que el hombre realmente necesita, y las necesidades psicológicas creadas por la sociedad, es cada vez más difuso. En la actualidad nadie se conforma con comer o cubrirse el cuerpo con un par de prendas. Las necesidades de educación, vivienda, salud y otras, se han convertido en valores de mercado, a los que el hombre sólo puede acceder a través del dinero que percibe por lo que hace. Y en esa necesidad de hacer, el hombre ha olvidado quién es, y qué necesita en verdad.

Esta búsqueda material es también el comienzo de una búsqueda psicológica, relacionada con la identidad. Desde este punto de vista, tener más implica, también, querer ser más. Este afán por tener más no se limita a los bienes y servicios, sino que se extiende al campo de los valores intangibles: tener más conocimientos, más reconocimiento, más poder, más libertad... pero siempre a través de lo que el hombre hace, es decir, de una identidad basada en su actividad, y no en quien realmente es. En suma, se trata de buscar la felicidad en el mundo exterior, y no en uno mismo.

La naturaleza, en cambio, es la manifestación espontánea de la vida misma. A diferencia de la creación humana, que apunta a objetivos específicos relacionados con la vida del hombre, la naturaleza no persigue más fin que su propia perpetuación. Es un despliegue formidable de millones de formas de vida diferentes, un espectáculo que el intelecto humano nunca podrá igualar, ni clasificar, ni interpretar cabalmente. Ningún hombre, con toda la tecnología disponible, podría crear un bosque de la nada.

Aunque no sea consciente de ello, el hombre es parte de esta creación natural. Somos seres biológicos, con necesidades de cobijo y alimentación similares a las de los animales. Incluso nos parecemos en que tanto ellos como nosotros necesitamos amor, ya sea que éste se exprese a través del lenguaje, como en nuestro caso, o a través del instinto como en el caso de los animales.

Las obras humanas han sido concebidas para mejorar la calidad de vida. Sin embargo, este mundo artificial también ha dañado el ambiente, y nos ha separado de la naturaleza y de quien verdaderamente somos (puesto que somos parte de ella). En definitiva, alejándonos de la naturaleza estamos alejándonos de nosotros mismos. ¿Y, en verdad podemos sentirnos felices estando distanciados de nosotros mismos?

Una prueba de nuestra pertenencia a la naturaleza es la necesidad psicológica de contar con espacios verdes. La mayoría de las personas anhela tener un pequeño patio o un lugar donde cultivar plantas. Sin embargo, los jardines, parques y plazas no son suficientes para hacer de puentes entre el mundo artificial y la naturaleza. La mayor parte de la población humana, con independencia del país de que se trate, vive en grandes ciudades. Este modo de vida, caracterizado por un ambiente artificial en que la naturaleza es escasa, contribuye a alimentar la mencionada búsqueda. Convertirse en un ser anónimo, en medio de una jungla de cemento en la que todos corren, nos fuerza a buscar medios para paliar la sensación de desamparo. Buscamos modos de sentirnos acompañados, ya sea por una pareja, un grupo de amigos o la simple compañía de un equipo de música o un televisor. Buscamos aliviar la soledad. Y con frecuencia no podemos discernir si esa soledad nace de la vida impersonal de la ciudad, o ya ha pasado a formar parte de nuestro ser, y por tanto es independiente del lugar en que vivamos, y de lo que hagamos.

La aparente contradicción entre nuestra pertenencia a la naturaleza y la vida que llevamos en el mundo urbano, se explica a través de la mencionada búsqueda: creemos que hay más para encontrar en una gran urbe que en un sitio natural. Preferimos la distracción que nos brinda la ciudad al silencio y la paz que encontramos en la naturaleza. Y esa distracción, proveniente del mundo exterior, no hace más que separarnos de nuestro mundo interior.

Dado que esa esencia interior reclama nuestra atención, recurrimos a alternativas como el ecoturismo para suplir durante las vacaciones la falta cotidiana de contacto con la naturaleza. Pero luego volvemos a la ciudad y a la búsqueda. Todos corren. Todos buscan. Todos desean algo más. ¿Cómo sustraerse a ese frenesí?

Esta desconexión con la naturaleza (y con uno mismo) es en algunos casos tan profunda, que el contacto con un ambiente natural inspira en algunas personas un sentimiento de temor, de aburrimiento o de soledad. En una playa desolada podemos buscar caracoles, o cangrejos. O simplemente relajarnos y disfrutar del lugar. Pero si estamos acostumbrados a la búsqueda incesante que caracteriza la vida citadina, en la playa tendremos la sensación de que nos falta algo Y no tendremos dónde ni cómo buscarlo, puesto que nos faltarán las referencias que en una ciudad nos sirven para acometer nuestra desesperada búsqueda.

En este sentido, creo que el contacto con la naturaleza nos recuerda nuestra verdadera esencia. Incluso esa sensación de soledad o de aburrimiento que experimentamos en un bosque o en una playa, es un reflejo de nuestra desconexión interior, es decir, un signo de que nuestra verdadera esencia espiritual ha sido reemplazada por un torbellino de pensamientos, o por la búsqueda de algo más, que no sabemos bien qué es, ni para qué lo queremos.

El mundo actual es obra del pensamiento humano. Pero no es el único mundo posible.

Detente por un instante. No pienses. Observa a tu alrededor. Este es el mundo que hemos creado. Sí, el mundo que hemos creado entre todos. De tanto buscar, hemos destruido la naturaleza para crear más objetos que nos hagan felices. La paradoja es que... ¡cada vez somos más desdichados! Y el planeta está cada vez peor. Nosotros peor, con un planeta cada vez peor. Y la felicidad no aparece. Y como si fuera poco, continuamos por el mismo camino. Seguimos adelante, empecinados en que, antes de destruir el mundo, encontraremos la ansiada felicidad.

Una de nuestras búsquedas está relacionada con el conocimiento. Hemos caído en la compulsión por saber. Sentimos curiosidad incluso por detalles triviales de la vida cotidiana, como las noticias sobre el mundo de las estrellas de televisión, la música o la moda, ambientes que no tienen absolutamente nada que ver con nuestra vida. De hecho, las redes sociales basan su éxito en esta necesidad psicológica de conocer las novedades de la vida de nuestros contactos, de aquellas personas de las que somos fanáticos, y de difundir también noticias sobre nuestra propia vida (que a su vez constituyen el alimento de nuestros contactos, en una suerte de red trófica y cognitiva virtual).

Nos obstinamos en acumular conocimientos, suponiendo que ellos mejorarán nuestra vida y nos darán control sobre ella. Nos cuesta reconocer que no sabemos algo. Parece que parte de nuestra identidad se perdiera si aceptamos nuestra ignorancia. Decir "no sé" implica sentirnos inferiores a los demás. Y nadie advierte el vasto conocimiento que yace debajo de la "ignorancia", y de la aceptación de ella. En este sentido, vuelvo al ejemplo de la naturaleza. Los animales son completamente "ignorantes". Sin embargo, tienen una sabiduría a la cual nuestro intelecto humano y nuestra búsqueda incesante de conocimientos no nos permiten acceder.

Contrariamente a lo que pensamos, la ciencia sabe muy poco. Existen en el mundo menos de dos millones de especies catalogadas por el hombre, en tanto que el número de especies que podrían determinarse clasificando la totalidad de los organismos vivos se estima en al menos diez millones, aunque algunos científicos hablan de hasta cincuenta millones. A pesar de este desconocimiento, confiamos plenamente en el paradigma científico y cartesiano que rige hoy, y conjeturamos que, algún día, la ciencia logrará explicar absolutamente todos los fenómenos del planeta (si es que antes el hombre no se extingue como especie, o debe partir en busca de un orbe alternativo donde vivir). De hecho, no es casual que cuando se le pregunta a un investigador sobre la causa de un fenómeno natural, él responda: aún no lo sabemos (dando a entender que algún día la ciencia lo sabrá).

Dado que la ciencia no tiene todas las respuestas, y los modelos económicos y sociales imperantes han mostrado su impotencia para crear un mundo más justo, equilibrado y ambientalmente sano, está claro que seguir a los demás, y perseguir el conocimiento, no garantiza una vida dichosa, ni previsible, ni armoniosa para el planeta.

En casi todos los órdenes, el modelo actual está basado en controlar lo que sucede: control de la presión arterial, de la ansiedad (por eso se venden millones de pastillas ansiolíticas), del nivel de colesterol, de las arrugas en el rostro de las mujeres, del desempleo, de las crecidas de los ríos, de las inundaciones, de la contaminación...

Podríamos asimilar este modelo al de las dietas. Hacer dieta implica un esfuerzo por controlar el peso. Como se trata de ejercer el control, la dieta implica regular la ingesta de alimentos en forma recurrente (volviendo a la dieta una o varias veces al año). El modelo también se extrapola a otros ámbitos: controlar los gastos (de una tarjeta de crédito, por ejemplo), mientras la publicidad procura persuadirnos de gastar más (del mismo modo en que nos tienta con alimentos que nos hacen engordar, y luego nos vende las dietas o las sustancias para eliminar el sobrepeso acumulado por la ingesta de esos alimentos).

Como ya señalé, este modelo de control está relacionado con lo que el hombre hace, y no con quien es: hacer dieta en lugar de ser una persona con hábitos sanos. Hacer todo lo posible para controlar el gasto, en lugar de ser juicioso a la hora de gastar.

Subir y bajar de peso. Gastar de más, y luego restringirse al máximo. Destruir la naturaleza y luego preocuparse por conservarla y restaurarla. Contaminar y luego descontaminar. Robar, y luego cumplir una pena de reclusión para expurgar el delito. Fumar para hacer más excitante la vida; y dejar de fumar para que esa vida excitante no acabe antes de lo previsto...

En el terreno emocional, el modelo responde a los mismos patrones: elegimos, y luego nos sentimos culpables de la elección. Compramos y luego nos arrepentimos. Amamos con locura a nuestra pareja; pero como ese loco amor también se basa en el control, los celos nos traicionan, y acabamos por odiar a quien queremos amar (y no podemos controlar). Así pasamos fácilmente del amor al odio, sin poder distinguir con claridad dónde termina uno y empieza el otro. Somos infieles, y luego pedimos perdón.

Pasamos de un extremo al otro, sin saber cómo alcanzar un equilibrio. Y paradójicamente, con frecuencia creemos que en estos incesantes altibajos radica el aspecto excitante de una vida plena. Esta parece ser, en parte, una suerte de adicción a cualquier situación que modifique la rutina habitual. Es la idea de que el amor y la vida deben ser intensos, y de que esa intensidad estriba, quizá, en alternar el odio con el amor, el sobrepeso con la delgadez, el gasto descontrolado con la avaricia.

Como puede verse, este modelo de control está emparentado con la búsqueda de la que hablo. El único modo de buscar el peso ideal es no tenerlo. La única manera de buscar amor es pensar que nos falta, y que cuando lo consigamos tendremos el control afectivo de nuestra existencia. Porque cuando uno logra el equilibrio y deja de subir y bajar de peso, o de pasar del odio al amor alternativamente, la búsqueda llega a su fin.

El trajinado concepto de felicidad, que buscamos en reemplazo de la sabia paz interior de la que habla el mundo oriental, depende de lo que sucede en el mundo exterior. Por lo tanto, si en dicho mundo no sucede nada trascendente (tenemos una relación sin altibajos, un trabajo que nos apasiona y que no queremos cambiar, etc.), parece que nos faltara algo. Y parece también que eso que nos falta no debe ser necesariamente positivo, sino que alcanza con introducir cambios que le inyecten "adrenalina" a nuestra vida. Aunque esos cambios, con frecuencia, nos traigan más inconvenientes que beneficios, y nos fuercen a recomenzar el círculo vicioso de la búsqueda.

El mundo natural es una manifestación espontánea de la vida

Si observamos una selva como la Amazónica, notaremos que tiene una actividad análoga a la de una gran metrópolis. Aunque las comparaciones entre ambos sistemas son difíciles, la metáfora sirve, creo, para mostrar algunas ideas. En el mundo aparentemente caótico de la selva, los seres nacen, mueren y se descomponen permanentemente. Los nutrientes del suelo recirculan a gran velocidad. El agua está en permanente transformación del estado líquido al gaseoso debido a la evaporación provocada por el sol y a la transpiración de las hojas. Sin embargo, ese caos aparente no tiene parecido alguno con el caos de una gran ciudad.

Los animales de la selva van en busca de comida, abrigo y pareja, como los humanos; sólo que los primeros no desarrollan esta actividad como algo separado de lo que son. Esta escisión entre ser y hacer no se da en la naturaleza, en la cual "ser" y "hacer" son fenómenos difíciles de separar. La hormiga construye (hace) hormigueros, pero porque es hormiga. Ser hormiga implica hacer hormigueros. No existe la posibilidad de que una hormiga escoja construir el nido de un ave.

En el caso del hombre, en cambio, nos cuesta discernir el concepto de "ser" precisamente porque nuestra identidad está basada en lo que "hacemos", y no en quienes somos. Cuando decimos "yo soy arquitecto", por ejemplo, nos estamos refiriendo en realidad a lo que hacemos, y no a quienes somos. Confundimos la actividad con la identidad que ese hacer supuestamente nos confiere. Y en esa sustitución dejamos de lado nuestra esencia: quienes en verdad somos.

La maravillosa convivencia de miríadas de especies en la selva es un buen ejemplo de armonía. Es obvio que no podemos tener tecnología, comodidad y llevar una vida salvaje al mismo tiempo. La contaminación y el caos de la ciudad son, en cierto modo, el precio que debemos pagar por una vida más "cómoda". Sin embargo, es importante contemplar la naturaleza y preguntarse: ¿acaso no podríamos encontrar un equilibrio entre la vida natural y la existencia de una ciudad? ¿Habrá un modo de que nuestro "hacer" y nuestro "ser" estén más próximos, aunque no lleguen a confundirse y co-fundirse como sucede en la naturaleza? ¿Podríamos conectarnos más con nuestra esencia interior, y vivir desde ese lugar una vida más armónica? ¿Podríamos intensificar nuestro "ser", y menguar nuestro "hacer"? ¿Podríamos vivir con menos? Vivir con menos implicaría, también, tener más naturaleza intacta, menos residuos y menos contaminación. ¿Seríamos capaces de estar más presentes, más conscientes y más felices, aunque no dispusiéramos de tantos bienes?

La realidad no existe como la percibimos: nuestra biología crea el mundo que vemos

El mundo percibido es un mundo material. Sin embargo, todo objeto material está constituido por átomos, que entre su núcleo y los electrones presentan un espacio enorme. Visto en otra escala, ese espacio es similar a la distancia entre el sol y algunos planetas. A escalas muy pequeñas, como la física cuántica, y muy grandes, como la física astronómica, la masa es sólo una forma de energía.

Aunque parecemos estar inmóviles sobre la Tierra, es precisamente el movimiento de rotación del planeta el que genera la gravedad y nos brinda la sensación de "anclaje al suelo". El suelo, por su parte, tampoco está tan quieto como parece: los géiseres, terremotos y volcanes en erupción son una prueba de ello.

Los colores no están en los objetos que vemos: son creados por nuestra biología. Cuando la luz incide sobre los objetos, las ondas luminosas reflejadas son captadas por el ojo, que reacciona a las diferentes longitudes de onda de la radiación. Esta respuesta es transmitida en forma de impulsos nerviosos al cerebro, donde se forman las imágenes en color. En consecuencia, si quisiéramos ser rigurosos, no deberíamos afirmar que las hojas de los árboles son de color verde. A decir verdad, sería más acertado decir que ese follaje es de todos los colores, menos verde: las hojas absorben todo el espectro de la luz blanca, reflejando sólo el rango correspondiente al color verde, que es percibido por nuestro sistema óptico, y transformado en ese color. Por eso las vemos verdes.

Los copos de nieve son transparentes, no blancos. Vemos blanca la nieve debido a la incidencia de la luz del sol sobre su superficie, y a la cantidad de caras reflectantes que presentan sus cristales. Tampoco es azul el interior de una cavidad abierta en la nieve; sin embargo, la percibimos de ese color. Las canas no son blancas sino incoloras, y una vez más, las vemos bancas debido al efecto que produce la luz al incidir sobre esos cabellos que han perdido la pigmentación. El ojo humano percibe sólo el rojo, el verde y el azul. Dependiendo de la intensidad de cada uno de ellos, en el ojo se forman los otros colores (secundarios y terciarios).

Sin la luz del sol, que incide sobre los objetos y refleja parte de la radiación que alcanza nuestros ojos, sería imposible que viéramos el mundo que nos rodea. La "realidad" seguiría existiendo como tal, pero no la percibiríamos.

Los daltónicos llamados verdaderos perciben dos colores primarios en lugar de tres: sólo ven colores compuestos por una mezcla de rojo y azul. El daltonismo más común se manifiesta en la dificultad para distinguir el rojo y el verde. Con menos frecuencia la dificultad radica en discernir entre el verde y el amarillo, o entre el azul y el amarillo. Para el daltónico, la realidad está compuesta por los colores que él percibe. Si no supiera que existe el daltonismo, podría discutir a muerte que los colores "verdaderos" son los que él percibe.

Los colores que vemos en una imagen de una parte del planeta, tomada desde un satélite, no son reales. De hecho, se los llama "falsos colores" porque son tonalidades que el hombre le asigna arbitrariamente a cada rango de longitud de onda de la radiación. La imagen se crea gracias a la respuesta de cada elemento a la radiación enviada a la Tierra desde un satélite, de un modo análogo al de la interacción entre la luz del sol y los objetos, y nuestra percepción de los mismos gracias al sentido de la vista. La diferencia es que el cuerpo humano tiene determinados biológicamente los colores que percibe, y en las imágenes satelitales esos colores pueden ser elegidos a voluntad por el hombre.

Para un esquiador, la nieve no es lo mismo que para un habitante de una isla tropical. El esquiador es capaz de diferenciar distintos tipos de nieve (en polvo, helada, etc.), experiencia que a su vez traslada al lenguaje, y puede compartir con quienes tienen distinciones lingüísticas similares. Los esquimales, por su parte, reconocen veintisiete tipos de nieve, algo que a un esquiador, quizá, le resultaría imposible. Pero los esquimales dependen de la nieve para sobrevivir, y por lo tanto su historia de vida les ha permitido agudizar su sentido de la observación, hasta llegar a ver diferencias que para otra persona serían imperceptibles. ¿Cuál es la "realidad" en el mundo de la nieve? La que cada persona es capaz de percibir o distinguir sobre la base de su propia experiencia.

Las tribus del Amazonas son capaces de escuchar ruidos que el hombre civilizado no puede oír, o de descubrir huellas de animales que nosotros no distinguiríamos jamás. Su "realidad" es diferente de la nuestra.

Si un hombre de cualquier ciudad llegara a la selva, y quedara aislado en ella, su cultura no le serviría como modelo mental para sobrevivir. Tendría que recoger conocimientos prácticos a partir de su relación con la naturaleza, y a partir de la historia personal que establezca con ese nuevo medio. Y podría aprender de la naturaleza aunque estuviera completamente solo, es decir, aunque no tuviera un contexto cultural o científico de referencia.

Si le llamáramos "realidad" sólo a lo que podemos ver, la radiación ultravioleta no sería real. Tampoco existiría la gravedad. Sin embargo, la radiación ultravioleta es capaz de matar microorganismos, y la gravedad es, a pesar de que no la percibamos, la fuerza que nos mantiene pegados al suelo, y la que nos brinda la sensación de estar quietos cuando en realidad nos movemos permanentemente con la Tierra.

También tenemos casos inversos, por los cuales percibimos como "reales" fenómenos que ya no existen: vemos la luz de estrellas que ya se han extinguido; están tan lejos que esa luz demora años en llegar, y por lo tanto la percibimos como si esas estrellas aún estuvieran brillando en el firmamento.

El sol, por ejemplo, es capaz de quemar nuestra piel a través de las nubes, sin que siquiera nos percatemos del modo en que este fenómeno se produce. El enrojecimiento de la piel no es "real" mientras se produce: sólo lo percibimos al cabo de un tiempo. El sol también es capaz de transformar el dióxido de carbono del aire en hidratos de carbono, de los que se alimentan las plantas y otros organismos a través de la fotosíntesis. Sin embargo, la fotosíntesis no es algo que podamos percibir a simple vista como para llamarlo "real".

Cuando vemos a un perro que se sobresalta y levanta las orejas porque alguien ha hecho sonar un silbato que nosotros no podemos oír, no comprendemos su comportamiento. El perro también es capaz de distinguir personas por su olor, o de desenterrar un hueso que para nosotros pasaría desapercibido, puesto que no lo veríamos. La realidad del perro es muy distinta de la nuestra, y está determinada por su biología interna.

Algo similar sucede con un murciélago, que se mueve a voluntad en plena oscuridad, mientras nosotros andamos a tientas en el mismo paisaje y a la misma hora. La realidad interna de cada uno es distinta, aunque la externa sea aparentemente la misma.

En cierta medida, como vemos, el mundo de la forma es irreal: ha sido creado por nuestra mente, en interacción con los objetos que percibimos. Es un fenómeno de interdependencia entre los objetos, la luz, los sentidos que los perciben y la mente que les da una interpretación.

La existencia de objetos es el resultado de la actividad mental, y no de la fragmentación del mundo

Un árbol no es un producto de la naturaleza, sino de la mente. Le llamamos árbol a uno de los elementos que componen un bosque (pero el "bosque" también es una palabra, es decir, un concepto humano). La posibilidad de reconocerlo como tal, y distinguirlo con una palabra que nos permite nombrarlo, le brinda la posibilidad de existencia al árbol, y nos permite coordinar acciones con otras personas en torno de ese elemento: podemos pedirle a otra persona que lo mida, o que lo corte. Podemos manipularlo como objeto. Sin embargo, también podemos ver al árbol como un conjunto de procesos, y no como el objeto que reconocemos y nombramos.

La capacidad de distinguir el mero concepto de árbol de la especie de que se trate, depende también de nuestro lenguaje. La diferencia entre un pino y un ciprés puede pasar desapercibida para alguien que no sepa de árboles. La posibilidad de distinguir uno de otro, en definitiva, no está en el árbol en sí mismo, sino en el conocimiento de la persona que lo observa. La taxonomía ha creado al ciprés y al pino. Ellos sólo existen en el mundo del lenguaje científico.

Las finas raíces de un árbol se entremezclan y confunden con el suelo. Si derribamos un árbol, por ejemplo, no lo extraemos completamente: parte de sus raíces quedan adheridas al suelo, y parte del suelo queda adherido a sus raíces. ¿Dónde termina el árbol y comienza el suelo?

¿Dónde acaba un pájaro y empieza su gorjeo? ¿Existe realmente ese pájaro cuando no hay palabras para nombrarlo? ¿O sólo existe la experiencia de percibir su canto, y de contemplar su forma? Cuando observo un pájaro… ¿no soy, acaso, parte de él? ¿No está él en mí como experiencia de percepción? No hay separación entre el pájaro y quien lo observa. Todo se funde en una única experiencia presente. La separación es sólo mental.

¿Cuál es el límite entre la radiación solar y la fotosíntesis que produce en las hojas de las plantas? ¿Se pueden separar los rayos del sol de las reacciones químicas que transforman el dióxido de carbono en carbohidratos? ¿Existe por separado un fenómeno de fotosíntesis, unos rayos solares que promueven ese proceso y una hoja que fotosintetiza, o todos estos son conceptos que ha creado el hombre, y que por lo tanto sólo están en su mente?

Nadie piensa que un vendaval es un objeto, puesto que no se trata de un elemento tangible. Se trata en todo caso de un fenómeno, o un evento. Un árbol, en cambio, puede ser considerado como un objeto. Sin embargo, también podríamos verlo como un acontecimiento, algo que sucede, y cesa en algún momento. La diferencia no está tanto en la "solidez" del árbol con respecto al aire que se mueve en un vendaval, sino en el tiempo transcurrido en cada uno de los casos.

Cuando hablamos de un cactus que florece una vez cada tantos años, y su flor vive sólo un día, podemos acercarnos un poco más al concepto de "evento". En ese caso hablamos del acontecimiento (floreció el cactus), y no tanto de la flor, porque su duración es tan breve que no merece quizá hablar de ella. La fotografiamos para constatar ese fenómeno raro, o por lo menos poco frecuente, y no por la importancia que la flor tiene en sí misma.

Si viéramos en cámara rápida el desarrollo de un árbol, desde la germinación hasta su desmoronamiento al final de su vida, podríamos comprender mejor el concepto de fenómeno, proceso, o evento. Lo mismo ocurre cuando vemos en una filmación la biografía de una persona. Analizamos su vida como un proceso, como una secuencia de situaciones, y no vemos a la persona como un ser de carne y hueso.

Por lo tanto, en cierta medida la diferencia entre evento y objeto es una mera cuestión de escala. El "yo" que asistió hace treinta años a mi egreso de la escuela secundaria, ¿aún existe? Guardo imágenes de mí mismo de hace treinta años: fotos, recuerdos. Pero esa persona se ha convertido en quien soy yo hoy: el pasado no existe más que en mi mente, o en hechos y documentos que prueban su ocurrencia.

No soy quien era. No soy quien seré. Estoy en continuo cambio. Soy un proceso más que una persona.

Es extraño que uno pueda pensar en la fiesta de graduación de la escuela secundaria como un evento, y se niegue a pensar que uno mismo, en esa fiesta, también representó un "evento" de la vida.

A escala atómica, nada de lo que vemos existe como lo vemos. Todo cuanto existe es una danza de átomos, es decir, un flujo de energía desplazándose constantemente.

El aire que aspiramos forma parte de nuestro cuerpo, al igual que el agua que bebemos. Cuando respiramos con la boca abierta, ¿dónde termina el aire y empieza nuestro cuerpo? No podemos decirlo con precisión. Sin embargo, nos cuesta asumir que formamos un "todo" con el aire que nos rodea, y con el agua que bebemos.

Cortar un árbol es desproteger el suelo. Desproteger el suelo es favorecer la erosión. Favorecer la erosión es aportar sedimentos al agua… En un caso como este se ve claramente la concatenación de hechos. ¿Dónde acaba un fenómeno natural y comienza otro? ¿Podemos hablar de objetos o fenómenos aislados en la naturaleza, o sólo podemos hacerlo en el ámbito del lenguaje?

Nuestro intelecto ha creado un mundo bipolar, que acentúa la búsqueda y la lucha.

La polaridad o dualidad es un modo de percibir el mundo. Hablamos de derecha e izquierda, día y noche, vida y muerte, bueno o malo, etc. Creemos que estos opuestos existen en el mundo, y no en nuestra mente. Sin embargo, como sucede con nuestra idea acerca de los objetos aislados, lo que vemos ha sido creado por nosotros mismos.

Las dicotomías que vemos en el mundo son abstracciones mentales. Nada es bueno o malo en sí mismo. Todo depende de las necesidades y los deseos de cada uno. Cada observador tiene un punto de vista diferente: la noche en Argentina es el día en Australia al mismo tiempo. No existe la noche o el día en el mundo entero. Todo depende de la situación o lugar en que centremos nuestra atención. Y lo cierto es que sin noche no hay día, y sin día no habría noche. Por lo tanto, no se trata de conceptos opuestos, sino complementarios.

Tenemos una mano derecha porque también existe una izquierda. De lo contrario, sólo hablaríamos de "la mano".

Esta noción de complementariedad se basa en la visión del mundo como un todo, en que nada existe en forma independiente: nosotros aislamos los fenómenos y objetos por medio de nuestro intelecto. Si aceptamos que algo bueno para mí es malo para otra persona, aceptamos también que este concepto depende del observador, y que, por lo tanto, no existe en el mundo algo absoluto y definitivo.

La salida y la puesta del sol representan conceptos abstractos. El sol no sale ni se pone; ni siquiera se mueve. En realidad, la que gira es la Tierra, y el amanecer y el atardecer son fenómenos dependientes por completo de nuestra perspectiva. Si no tuviéramos conocimientos sobre los puntos cardinales y el movimiento de la Tierra respecto del sol, podríamos pensar que el sol simplemente aparece y desaparece, por algún motivo misterioso. Si no supiéramos qué significan los conceptos de este y oeste, y viéramos el sol apenas por encima de la línea del mar en un instante, podríamos confundir el amanecer con el atardecer, y pensar que el sol está apareciendo sobre el horizonte, cuando en realidad está desapareciendo, o viceversa.

Si viéramos la Tierra desde el espacio, estos conceptos desaparecerían. Si pudiéramos apreciar el mundo en su totalidad, sin fragmentarlo intelectualmente, la dualidad o polaridad perdería su sentido.

¿Cuál sería nuestra perspectiva del mundo si dejáramos de pensar en términos de blanco o negro? Si en lugar de pensar que tenemos razón y otro está equivocado, nos dijéramos que ambos puntos de vista pueden ser complementarios, y por tanto ambos podrían conciliarse para enriquecer el mundo, ¿acaso las posibilidades de acción no serían más amplias?

En la naturaleza, la variedad de formas de vida enriquece el medio, por lo que el hombre está a favor de esa diversidad. En la sociedad, en cambio, el hombre suele oponerse o subestimar a las personas que se ven diferentes o que piensan de otro modo. Si pudiéramos establecer una analogía entre la naturaleza y la sociedad, veríamos que la riqueza de puntos de vista o de colores de piel es tan importante en la sociedad como la diversidad genética lo es en la naturaleza.

Nuestras creencias crean el mundo: vivimos la vida que pensamos

Creamos lo que creemos. El mundo artificial del que hablo fue creado por el hombre sobre la base de sus opiniones, ideas, creencias y deseos. Se crea una carretera porque alguien juzga importante hacer esa obra para conectar una parte de la ciudad con otra, o una localidad con otra. Alguien abre un negocio porque cree que esa actividad será lucrativa. Las personas eligen un lugar donde vivir sobre la base de sus opiniones: esta casa es adecuada para mi familia; en este pueblo conseguiré un buen trabajo; aquí mis hijos crecerán sanos y seguros, etc.

Juzgamos lo que nosotros mismos hemos creado, o lo que ha sido creado por otros. Lo juzgamos porque toda creación humana es susceptible de ser modificada, y por lo tanto, todo lo creado por el hombre podría haber sido hecho de otro modo. Con frecuencia consideramos que el mundo debería ser diferente, ya que no se adapta a nuestros deseos o conveniencias. Sin embargo, lo cierto es que nuestra capacidad para modificar ese mundo es limitada. En consecuencia, pensar que todo debería ser diferente no nos ayuda a cambiar el mundo, sino que nos sumerge en el sufrimiento.

Nuestras "críticas constructivas", como se le llama comúnmente a las opiniones de cambio, pueden ayudar a otros a ver el mundo desde un punto de vista diferente (en este caso el nuestro), y a modificar (y mejorar) el entorno que hemos creado entre todos. O pueden enfrentarnos con quienes opinan diferente, en una disputa por tener la "razón" o la "verdad". Lo cierto es que, con independencia de lo que se haga con nuestras opiniones sobre el mundo externo, lo único que verdaderamente podemos cambiar es nuestro mundo interior, y el reflejo de ese mundo en nuestro entorno inmediato. Como reza la famosa frase de Gandhi, sólo podemos "ser el cambio que queremos ver en el mundo".

A diferencia del mundo artificial, no juzgamos a la naturaleza simplemente porque sabemos que es como es. No podría haber sido de otro modo, puesto que la naturaleza no fue creada premeditadamente por el hombre, con un fin específico. Ha surgido de un modo espontáneo. Pertenece a un mundo que se despliega sin motivo aparente alguno. La comprensión de que la naturaleza no puede ser mejorada (salvo con fines productivos, como en el caso de los cultivos y la cría de animales), pone fin a la búsqueda que caracteriza la vida en el mundo creado por el hombre. Y el fin de la búsqueda se convierte así en un modo de reconciliarse con el mundo natural, del cual provenimos, y de reencontrarse con uno mismo (ya hablaremos de esto más adelante).

Veremos a continuación que el punto de vista de cada observador y el foco en que éste centra su atención, contribuyen también a la formación de una realidad interna particular, que difiere de una persona a otra, y que constituye un motivo frecuente de conflicto y de insatisfacción.

El observador es parte indisoluble de la realidad

¿Por qué se suicida una persona? Conocí a una mujer guapa, joven, profesional, aparentemente exitosa, que estaba a punto de construir su casa, cuando de improviso se suicidó. El suceso, más allá del dolor que me produjo, me colmó de intriga. Evidentemente lo que yo veía en ella no era lo mismo que lo que ella veía de sí misma. Ella consideraba que no valía la pena vivir la vida, al extremo que decidió abandonar el mundo. Yo, por el contrario, creía ver en ella a una persona llena de proyectos, incapaz de tomar semejante decisión. Nuestra realidad percibida era muy diferente.

La visión emocional hace que una playa nos resulte maravillosa si la recorremos con un ser amado, y nos deprima si ese ser se encuentra lejos, o nos ha abandonado. La misma calle que transitamos a diario se vuelve "peligrosa" para nosotros al día siguiente de haber sufrido un asalto, aunque ningún otro acontecimiento externo la haya modificado. Se convierte en peligrosa para nosotros, pero sigue siendo una calle "segura" para aquel que nunca fue asaltado allí. Basta un hecho traumático para que la visión que teníamos del mundo se modifique radicalmente. Y lo que cambia no es el mundo, sino el observador que lo percibe.

Recuerdo una película del director de cine Michael Moore, en la que una madre estaba orgullosa de que su hijo estuviera en la guerra, defendiendo a los Estados Unidos, hasta que su hijo es asesinado, y, su orgullo, se convierte entonces en odio hacia el gobierno y el país que lo envió a la guerra.

A propósito de este tema, es interesante ver que el punto de vista del observador no guarda relación con los hechos en sí mismos, sino con la interpretación que cada observador hace de ellos. En un contexto bélico, una madre podría sentirse orgullosa de que su hijo fuese condecorado por matar a soldados enemigos. Sin embargo, no sentiría el mismo orgullo si su hijo matara con un revólver a un vecino en una discusión. La acción es la misma: matar a una persona de un disparo. La interpretación, en cambio, varía de acuerdo con el contexto y con el punto de vista del observador.

Encontrarse con un tigre puede inspirarle terror a un turista. Pero colmará de excitación a un cazador de tigres. La emoción es diferente porque no depende de la aparición del tigre per se, sino de la interpretación de ese hecho que cada observador hace.

El mar, por ejemplo, puede representar un símbolo de riesgo de muerte para alguien que estuvo a punto de ahogarse; puede ser un mundo fascinante para un submarinista, un medio sobre el cual desplazarse para un navegante, o un lugar de esparcimiento para quien le gusta nadar. O puede incitar al suicidio a una persona deprimida. El mar y su playa no cambian; lo que cambia es el punto de vista de cada observador.

La pregunta clave es... ¿cuál es la realidad? ¿La playa que nos deprime, o la que nos maravilla?

La tristeza que una persona encuentra en una playa desierta es, para esa persona, su "realidad". Dirá quizá que estuvo en un lugar "deprimente", sin caer en la cuenta de que la tristeza está dentro de ella, y no en el paisaje.

La palabra "pareja" es comprendida por todo el mundo. Sin embargo, de acuerdo con la experiencia que cada uno haya tenido, la palabra "pareja" no significa lo mismo para mí que para otro. La idea de pareja puede estar emparentada con el amor, el divorcio, la felicidad, la alegría, la infidelidad, etc. Depende de lo que cada persona haya vivido junto a sus parejas, y de lo que recuerde de esas experiencias.

El observador es parte de la realidad. Nuestros juicios y emociones condicionan el modo en que percibimos el mundo. Lo que encontramos en el mundo es un reflejo de nuestro modo de mirar. Por lo tanto, no podemos asegurar que exista una realidad objetiva o única, o realidad a secas (al menos en un estado ordinario de conciencia, en que no podemos separar lo que pensamos o sentimos de lo que vemos).

La belleza de la naturaleza está en nosotros, y no en ella: el campo es hermoso porque el hombre lo observa y lo disfruta. La naturaleza en sí misma es neutral. Simplemente es como es. El concepto de belleza es una distinción inherente al lenguaje, y por lo tanto es humano. La música es música porque le damos esa interpretación a un conjunto de notas y silencios vinculados entre sí. No existe la música sin un oyente que la perciba e interprete que está escuchando música. Quien escucha es una parte indisoluble de la música, al igual que quien la interpreta. El observador es parte de la realidad.

Nuestro foco de atención también determina la realidad que vemos

El aumento de la delincuencia es un problema para el ciudadano común, y una bendición para las empresas de seguridad a las cuales los comercios contratan para evitar el robo en sus locales. El robo de objetos de mi casa es un perjuicio para mí, pero un beneficio para el local comercial al cual acudo para comprar otros nuevos. Todo depende del "cristal" a través del cual se contemple el mundo. Y ese cristal depende no sólo del observador, sino de aquel aspecto de la realidad en que éste centre su atención.

Es conocido el ejemplo de las mujeres con dificultades para tener hijos, que salen a la calle, y piensan: "el mundo está lleno de embarazadas, y yo no puedo tener hijos". En realidad no es que "abunden los embarazos", sino que estas mujeres ponen su atención sobre las embarazadas y madres porque ese es su anhelo, y así pasan por alto un sinnúmero de mujeres que, como ellas, no pueden tener hijos. Se convierten así en "observadoras de embarazos", y este modo de ver el mundo les muestra una realidad particular, diferente de la que observan otras mujeres. Esta situación podría resumirse diciendo que "sólo vemos en el mundo lo que buscamos", es decir, sólo encontramos aquello en que centramos nuestra atención.

Si pensamos que vivimos en una sociedad peligrosa, lo primero que haremos al leer el diario, quizá, será buscar los casos policiales. Y como seguramente encontraremos varias noticias sobre actos delictivos, éstas no harán más que confirmar nuestra visión del mundo.

Si buscamos en el mundo sufrimiento, lo encontraremos. Si procuramos motivos para estar alegres, también daremos con ellos. La gente optimista encuentra motivos para serlo, a pesar de las desdichas que le toquen en suerte. Los pesimistas, por el contrario, se decepcionan ante el primer inconveniente, y van incluso en busca de argumentos con los cuales justificar su pesimismo.

Yendo a un ejemplo más concreto, cuando tenemos apetito encontramos fácilmente un restaurante, pues es justamente eso lo que buscamos (sólo le prestamos atención a ese tipo de local comercial). Si por el contrario estamos enfermos y nos han recetado un medicamento, pasamos por alto los restaurantes y centramos nuestra búsqueda en el ámbito de las farmacias.

Por lo expuesto, podemos concluir que, de un modo consciente o inconsciente, buscamos y por tanto encontramos en el mundo aquello que coincide con nuestras creencias o intereses: vemos la realidad tal como la imaginamos.

Nuestros intereses determinan lo que buscamos (y como hemos visto, también lo que encontramos), no sólo en el mundo creado por el hombre, sino también en la naturaleza. Los cazadores buscan presas. Los forestales buscan árboles con troncos aptos para la obtención de madera. Los biólogos buscan situaciones que les permitan comprender las relaciones entre los distintos seres vivos y su ambiente. Los agricultores buscan campos aptos para sembrar sus cultivos. Los ganaderos buscan ambientes en los que su ganado pueda prosperar rápidamente. Los observadores de aves van en busca de las especies que desean ver. Los recolectores de hongos de pinos van mirando el suelo, con su atención puesta en el reconocimiento de esos organismos.

Los artistas plásticos buscan en la naturaleza paisajes para plasmar en un lienzo. Los fotógrafos buscan una situación inesperada, un juego de luces o una especie esquiva. Los guías de turismo buscan senderos o paisajes para mostrarles a sus clientes, a fin de lograr en ellos una experiencia recreativa satisfactoria. Los intérpretes de la naturaleza buscan situaciones o elementos del ambiente que revelen algún significado particular, o permitan describir el lugar visitado de un modo diferente del habitual. Cada uno de estos grupos centra su atención en una parte de la realidad, descubriendo así un mundo particular y distinto del que ven los demás.

Lo que parece estar afuera, está dentro de nosotros

No hay nada allá fuera. El mundo que crees ver es el producto de las gafas que llevas puestas. Si ves sufrimiento, estás mirando el mundo a través de tu propio cristal del sufrimiento. Este es el concepto budista del vacío: nada tiene existencia propia. Todo existe gracias a la interacción entre el mundo exterior y la conciencia que lo percibe. El sufrimiento provocado por la muerte de un ser querido, por ejemplo, no se debe al deceso en sí mismo, sino a la interpretación que hacemos de ese hecho: nuestra idea que no podremos compartir nada más con esa persona, o la creencia de que esa muerte ha sido injusta, porque no la esperábamos.

Todo está tan cerca, que no puedes verlo. Los colores están en tu cuerpo: los forma el cerebro. Por eso no puedes verlos, y crees que están afuera. El amor está tan cerca que no puedes entrar en contacto con él. Por eso lo buscas afuera. Crees que vendrá de alguna parte. Está en tu ser interior, y no lo dejas salir. No puedes experimentarlo porque tus pensamientos, y las emociones que esos pensamientos generan, son más fuertes que tu paz interior. El ruido mental ensordece el silencio interior.

Algo similar sucede cuando la oscuridad te infunde temor. No es la oscuridad la responsable de tu miedo: eres tú mismo, como consecuencia de la falta de luz. Por eso la luz alivia tu temor: porque viene de afuera, y estás acostumbrado a que la salvación provenga del mundo exterior.

Sin embargo, creer que la luz es la que te libra del miedo es una nueva ilusión. En realidad no necesitas de la luz. Si quieres, puedes caminar a oscuras, tantear los objetos y ver que nada ha cambiado afuera. Sólo ha cambiado lo que tú sientes; y culpas a la oscuridad porque no eres capaz de "iluminar" los objetos tú mismo con tu sentido del tacto, a fin de reconocerlos. O no eres capaz de confiar en que nada ha cambiado. Todo sigue en el mismo lugar de siempre. La única diferencia es que tú no puedes ver.

Aunque el mundo percibido parezca siempre igual, el universo está en permanente cambio.

Aunque todo parezca igual día tras día, hora tras hora, el universo se encuentra en permanente cambio. La Tierra se desplaza, cambiando segundo tras segundo su posición respecto del Sol. Nuestras uñas y cabellos crecen; éstos últimos se caen, y son reemplazados por otros, o no. Nuestras células se renuevan. Nuestras pupilas se adaptan constantemente a la luminosidad de aquello que observamos. Nuestro sistema digestivo procesa sin cesar los alimentos que recibe. La sangre fluye sin detenerse a través de nuestro cuerpo. Nuestros músculos se contraen y se relajan. Las manos se crispan para tomar objetos, y luego sus dedos se relajan. Mientras yo estoy sentado escribiendo estas líneas, mis dedos se desplazan a través del teclado, cambiando permanentemente de posición. Y aunque el resto de mi cuerpo parezca inmóvil, está moviéndose ligeramente para adaptarse a la silla sobre la que estoy sentado.

Los animales nacen y mueren, al igual que los seres humanos. Los insectos eclosionan y fallecen, adaptándose a las condiciones meteorológicas. Las nubes se forman, se desplazan y desaparecen. La lluvia cae y luego el agua se evapora y se filtra en el suelo. El agua no cesa de moverse, ya sea a través del aire, o del suelo. Los ríos fluyen constantemente hacia el mar, que a su vez baña las costas con las oscilaciones de sus mareas. El aire rara vez está en calma...

Esta es una lista brevísima de los millones de cambios que a cada segundo se suceden en el inconmensurable universo del que formamos parte. Pensar que nuestra vida no cambia y que el ambiente tampoco se modifica, equivale a creer que sólo somos un cuerpo moviéndose en una suerte de teatro de decoración invariable, en el que caerá el telón el día de nuestra muerte, siendo ese el cambio más trascendente.

Asociamos más la vida a las imágenes mentales que tomamos de ella que a las experiencias que tenemos. Cuando tomamos fotografías de un bosque, pensamos que éste permanece invariable. La imagen puede parecernos igual aunque volvamos a captarla una semana después. Lo cierto es que el bosque se modifica a cada instante; es sólo que somos incapaces de percibir esos cambios.

Si fuésemos capaces de imaginar y reparar en los millones de modificaciones que se producen a cada segundo en el universo, esos cambios nos resultarían asombrosos. Estas modificaciones pueden observarse tanto en uno mismo como en el ambiente. Si estás muy atento, verás cómo surge un pensamiento en tu mente, y cómo comienza el movimiento de uno de tus dedos cuando escribes. Descubrirás que se agita suavemente la copa de un árbol, que una nube cambia de forma, y que tus propias percepciones del entorno, que experimentas a través de tu cuerpo, están en constante cambio.

Sólo percibirás todo esto si estás muy pero muy atento.... De lo contrario te perderás incluso los cambios más evidentes, y la vida te parecerá invariable e insustancial.

SEGUNDA PARTE: SUFRIMIENTO Y ACEPTACIÓN

Aceptar el mundo natural nos enseña a aceptar el mundo artificial

Es difícil encontrar perfección en este mundo artificial creado por el hombre. Cuando hablo de "perfección" me refiero a una situación u objeto que nos satisfaga por igual a todos. Ya vimos que cada observador tiene un punto de vista diferente. Por lo tanto, lo que para unos es "correcto" o incluso "perfecto", para otros puede parecer "incorrecto" o "imperfecto", es decir, susceptible de ser mejorado.

Siempre hay algo que podría ser cambiado, o mejorado: el semáforo podría ponerse en verde a mi paso, para que yo pueda circular más rápido con mi coche cuando llevo prisa. Los aviones podrían ser puntuales en lugar de retrasarse, y servir además mi comida preferida. La azafata podría ser bonita y amable; ¿por qué en el último vuelo tuvo que tocarme una azafata que no me gustaba? El supermercado que está al lado de mi casa podría vender mi bebida preferida, para evitarme la complicación de comprarla en otro sitio, lejos de mi casa.

Como señalé en la primera parte, nos resulta más fácil aceptar el mundo natural que el artificial (a menos, claro, que un árbol caiga justo delante de nuestro coche, y nos cierre el paso por horas; o peor aún: que caiga sobre el techo, y nos destruya el coche).

Nadie supone que un árbol debería ser más alto, más bajo, o tener más o menos hojas de las que tiene: aceptamos la naturaleza tal y como es. Esta aceptación es un punto de partida importante para trabajar otros aspectos. Estando en contacto con la naturaleza, puedes trabajar la aceptación partiendo del mundo exterior, y yendo luego hacia el interior. Si adviertes que aceptas la existencia de un pájaro tal y como es, el paso siguiente podrá ser la aceptación de lo que experimentas ante la presencia de ese pájaro. Estando en paz, frente a la naturaleza, y aceptándola tal y como es, no tendrás las fuentes de perturbación y rechazo que tienes en tu vida cotidiana: ruidos, gente que conduce como a ti no te gusta, juicios con los que no estás de acuerdo, etc.

Aquí y ahora, frente a la vida silvestre, el único esfuerzo de aceptación que deberás hacer será el interior, es decir, el de las emociones y sensaciones inspiradas por las plantas, los animales, el agua…

Si prestas atención, verás que no permanecerás inmune a la belleza y a la paz que te inspira la naturaleza. Pensarás primero que esa vida silvestre es maravillosa. Y luego podrás sentirlo en tu interior.

Así, aunque sólo sea por un instante, podrás detenerte en medio de la naturaleza, dejar de lado la búsqueda frenética de la vida cotidiana, y comenzar si quieres una nueva "búsqueda", que no requiere de movimiento alguno: la inmersión en las aguas de tu mundo interior, el de las sensaciones y emociones que ese lugar despierta en ti.

Esta nueva situación de aceptación plena de todo lo que sucede en la naturaleza, te conducirá a un estado de paz que te permitirá luego trasladar esta experiencia a la vida cotidiana. De este modo, cuando estés de regreso en tu hogar, podrás tener una experiencia diferente: la de la aceptación de aquello que no te gusta.

Si has aceptado el canto de un pájaro, y el sonido del agua, ¿por qué no aceptar, siquiera por un instante, el ruido de la ciudad? Prueba esta experiencia: en lugar de rechazar mentalmente el caos de movimiento y ruido que caracteriza a la gran urbe, sumérgete en él como lo has hecho con los sonidos de la naturaleza, y acéptalo como algo "natural", puesto que, sea o no sea "natural", oponiéndote mentalmente no lograrás cambiarlo. ¿Por qué no aceptarlo entonces, y ver qué sucede? Ya veremos más adelante en qué consiste exactamente esta aceptación, y para qué nos sirve esta experiencia.

Sufrimos porque creemos que el mundo que vemos es real

Sufrimos porque vivimos en un mundo ilusorio, que no es real. El budismo sostiene que la raíz de todas las ilusiones es que vivimos en la ignorancia. ¿La ignorancia de qué? De que el mundo que vemos no existe del modo en que parece existir. Como hemos visto, ese mundo no tiene una existencia independiente de nosotros. Existe porque lo percibimos, y el modo en que lo vemos es una combinación entre ese mundo exterior, y nuestra percepción interior.

La ilusión consiste en creer que los objetos y situaciones tienen una existencia propia o inherente, independiente de los factores que condicionan su existencia relativa o percibida. Dicho de otra manera, la ilusión consiste en creer que lo que ve cada observador es la "verdad", y no el punto de vista de ese observador.

Como comenté en la primera parte, este es el concepto budista de "vacío". El vacío es la naturaleza última de todo lo que existe. No significa que los objetos que vemos no existan. Significa que sólo existen como los vemos representados en nuestra mente.

En nuestra mente no sólo aparecen representados los objetos, sino también las situaciones que vivimos. Etiquetamos y juzgamos todo lo que percibimos. No vemos el mundo como es, sino que lo percibimos a través del filtro de nuestros modelos mentales. Ese filtro nos brinda una idea de un mundo ideal, al cual queremos que se parezca todo lo que sucede, tanto en nuestra vida como en el mundo exterior. Y a decir verdad, el mundo rara vez coincide con ese ideal. Además, si cada observador posee su propio punto de vista, ¿cómo lograr un mundo ideal para todos?

Ya vimos que los objetos son producto de nuestra actividad mental. Cuanto más etiquetamos y juzgamos esos objetos (es decir, cuanto más opinamos sobre ellos), más los separamos entre sí, y más los (y nos) apartamos de la vida como un continuo de situaciones indiscernibles. Esos fragmentos que creamos mentalmente constituyen una fuente de sufrimiento. Por lo tanto, si creamos más y más objetos y situaciones, también originamos más sufrimiento en nuestra vida: si los fragmentos u objetos o situaciones creadas no se adaptan a nuestra conveniencia o creencia, el sufrimiento es inevitable. En esos casos nos obstinamos en que cambie el mundo, y no nuestro modo de percibirlo. Y este intento de aliviar el sufrimiento no hace más que alimentarlo.

Sufrimos porque creemos que este momento podría ser diferente de como es. Y este sufrimiento es una locura. ¿Cómo podría este instante ser diferente, si es simplemente como es? ¿Para qué pensar que podría estar durmiendo en lugar de encontrarme escribiendo estas líneas, si la única verdad es que estoy escribiendo? ¿No es esa, acaso, la única experiencia y la única verdad en este instante? ¿Cómo no sufrir esperando que suceda algo que pertenece al pasado, o que es sólo una conjetura mía? ¿Por qué resistirse mentalmente a lo que sucede? ¿Por qué no aceptarlo?

Sufrimos porque nuestra atención está puesta en nuestros pensamientos, y no en la experiencia de pensar (o de hablar, de escuchar, o de sentir). En realidad lo importante es la conciencia de la experiencia, y no el contenido mental. Cuando piensas, lo importante es la experiencia de pensar, y de observar tu propio pensamiento como si no fuera tuyo. Pero los pensamientos en sí mismos carecen de importancia. Las ideas van y vienen; desaparecen o aparecen, como las nubes en el cielo. ¿Sufres porque una nube cambió de forma, porque desapareció, o fue reemplazada por otra? ¿Por qué sufres entonces por lo que piensas, si los pensamientos son como nubes, que aparecen y desaparecen en el cielo siempre azul y diáfano de la conciencia?

Lo que importa no es el contenido de la experiencia (los acontecimientos) sino la experiencia en sí misma, y cuán consciente eres de ella. Cuanto más sumergido estés en la experiencia, más alegría y paz sentirás (ya hablaremos de esto más adelante).

En realidad, el contenido mental no "sucede". Cuando lees en el diario una noticia sobre un caso policial, lo que está escrito es un cuento sobre lo que sucedió, o lo que sucederá. Es un texto sobre ese caso, pero no es el caso en sí mismo, como sucedió. Si reflexionas sobre este caso luego de saber de él, te sucederá lo mismo. Tus pensamientos sobre el caso policial no son el caso en sí mismo. Es más importante la experiencia de pensar que tus pensamientos. La experiencia propiamente dicha (lo que sucede), siempre pasa en el momento en que eres consciente de ella. Puedes recordarla o anticiparla mentalmente. Pero sólo puedes vivirla una vez, cuando todo sucede.

Normalmente rechazamos lo que sucede, y anhelamos algo diferente. Mediante este mecanismo nos resistimos mentalmente a lo que es. Y este mecanismo es parte de la dualidad o polaridad: pasado y futuro, bueno y malo, correcto e incorrecto, etc.

Cuando sufrimos por rechazar una situación, ya estamos operando con el pasado. Aunque creamos estar en el presente, sólo podemos rechazar lo que ya ocurrió, puesto que rechazamos las situaciones tras juzgarlas o interpretarlas. Pensamos por ejemplo: lo que ha dicho mi padre es incorrecto. Juzgamos esas palabras (que ya fueron dichas y pertenecen al pasado), y luego las rechazamos. No estamos viviendo el presente. Estamos anclados en pensamientos sobre el pasado.

Es también ese juego de pasado (recuerdos) y futuro (anhelos) el que nos brinda una identidad (yo fui, yo soy, yo quisiera ser).

Esta identidad es ficticia, puesto que se basa en lo que pensamos, y no en quien verdaderamente somos. Por lo tanto, identificarnos con nuestros pensamientos nos lleva inexorablemente al sufrimiento. Y paradójicamente, sufrimos porque ese sufrimiento nos brinda una sensación de identidad, de ser alguien. Creemos que esa identidad (la identificación con lo que pensamos) es positiva, porque nos libra de la vida anónima a la que estaríamos condenados sin un nombre, sin una historia o sin una serie de reflexiones sobre lo que ocurrió o creemos que va a ocurrir. Pero son ese nombre y esa historia los que, paradójicamente, nos hacen sufrir.

Si le prestamos atención a lo que no sucede (ideas, conceptos, pensamientos, conjeturas), sufrimos. Si enfocamos la atención en lo que sucede (las sensaciones del cuerpo, los sonidos, los olores, las voces), sin juzgarlo ni pretender que sea diferente, entramos en el reino de la paz.

Las emociones son originadas por pensamientos. Cuando piensas "no debería haber hecho lo que hice", ese juicio provoca una emoción de culpa, que se manifiesta en tu cuerpo. Lo que mantiene viva esa emoción no es lo que pasó, sino tu pensamiento o juicio. Si en lugar de prestarle atención al pensamiento, te enfocas en la emoción propiamente dicha (lo que experimenta tu cuerpo), esa emoción se transforma en experiencia, y se disuelve en la conciencia que la percibe. Ese es el camino hacia el fin del sufrimiento.

Sé que al leer estas líneas, alguien podrá argumentar: "la culpa es verdadera, yo la siento en mi cuerpo, y no me deja en paz". Es cierto: la emoción es verdadera, puesto que es una experiencia que vive el cuerpo en el presente. Lo que no es tan real es el pensamiento que origina esa emoción. Si observas ese pensamiento sin apegarte a él, verás que pierde poder, o simplemente desaparece. Y con su desaparición se extingue la culpa, y también el sufrimiento.

El aburrimiento no está en el mundo sino en nosotros mismos

¿Sucede en tu vida que a veces te aburres? Te aburres porque no estás presente. Encuentras el mundo invariable y rutinario puesto que, como no estás presente, no puedes apreciar los cambios. Tomas fotos mentales de las situaciones, en lugar de experimentarlas. Reconoces a las mismas personas, y dices: fulano de nuevo, ya lo conozco, ya lo he visto mil veces, no quiero volver a hablar con él.

La mente no ve: reconoce. Ves tu coche, y sabes que es tu coche. ¿Para qué mirarlo? Si lo vieras sin el filtro de tu mente, a través de tu conciencia pura, te darías cuenta de que nunca lo has visto de verdad…

El aburrimiento consiste en juzgar que lo que hago ahora no me abre posibilidades en el futuro. Se trata de un juicio en el que pienso que podría estar haciendo algo distinto de lo que hago, sin saber en realidad en qué consiste esa otra alternativa.

Es interesante ver que los niños se divierten en situaciones en que un adulto se aburre. Esto ocurre en parte porque los niños aún están descubriendo el mundo, y por lo tanto todo les parece asombroso y mágico. Pero también porque miran el mundo desde un lugar en el que nosotros no nos permitimos estar, debido a que nuestros propios juicios nos limitan.

Los niños representan un observador que mira el mundo desde la inocencia y el asombro, y que está además en permanente cambio, ya que el cambio de observador es parte fundamental de todo juego, y la vida de los niños es esencialmente lúdica.

En la naturaleza, que a mi juicio es un buen espejo en el cual mirarnos, podemos aburrirnos o maravillarnos. En medio de una selva virgen podemos aburrirnos pensando que el paisaje está compuesto por troncos y hojas: marrón y verde. Y poco más que eso. O bien podemos maravillarnos ante la vida que se manifiesta en una simple hoja. Una vez más, lo que vemos no está allá afuera, sino que es un reflejo de nosotros mismos. Lo que vemos, en definitiva, depende de quién somos cuando lo vemos. Y quién somos depende del grado de conexión con nosotros mismos.

En nuestra búsqueda incesante de experiencias emocionantes, con frecuencia hablamos de la necesidad de romper la rutina. Para eso salimos de vacaciones, viajamos, cambiamos de actividades, etc. Culturalmente creemos que la rutina tiene una connotación negativa, y que lo ideal es vivir una vida escasamente rutinaria. Sin embargo, esta es una nueva ilusión.

Por una parte, resulta imposible imaginar la concreción de proyectos sin una rutina de trabajo. Por ejemplo, podríamos sostener que escribir novelas es una tarea creativa y muy poco rutinaria. Sin embargo, es imposible escribir una novela sin tener una rutina de trabajo. Los escritores más prolíficos escriben varias horas por día. Si viven de la escritura, pueden darse el lujo de escribir frente al mar o la montaña, y de cambiar de sitio permanentemente. Pero nada ni nadie los libra de la "rutina" de escribir.

Quienes han tenido el objetivo de convertirse en padres, saben perfectamente que no podrían serlo sin seguir una rutina diaria: llevar a sus hijos al colegio, ayudarlos, alimentarlos, escucharlos, etc., repitiendo esa secuencia día tras día.

La naturaleza, a la cual huimos a veces para escapar de la rutina, es esencialmente rutinaria. Las nubes aparecen y desaparecen. La lluvia moja el suelo, el agua se evapora, se forman nuevas nubes y vuelve a llover. Los árboles brotan en primavera, y pierden sus hojas en invierno. Los animales nacen y mueren. El ciclo del día y de la noche, y de las estaciones, se suceden incesante e invariablemente. ¿Hay acaso algo más rutinario? Sin embargo, es imposible pensar en la naturaleza sin esos cambios, y sin esa rutina. Si la Tierra no girara incesantemente, no existiría la alternancia entre el día y la noche, a la cual nuestro cuerpo está adaptado. ¿Sería acaso "excitante" vivir eternamente de día, o de noche? Quizá podría parecer atractivo durante un tiempo, pero luego comprenderíamos que el mundo se ha vuelto aun más rutinario: no existiría más que el día o la noche perpetua.

Nuestro cuerpo está sometido a una rutina inexorable: la de la vigilia y el sueño. Podemos alterar ligeramente la duración de esos períodos, pero no desterrar ese aspecto "rutinario" de nuestra existencia. De hecho, lo que nos permite conservar la vida es ese equilibrio entre vigilia y sueño, y entre el mundo consciente y el onírico.

Cualquier modo de vida que pueda considerarse "sano" está sujeto también a patrones rutinarios. Hacer deporte regularmente implica someterse a una rutina. Alimentarse correctamente también conlleva la necesidad de hacer varias comidas al día, es decir, de repetir la rutina de la alimentación a lo largo de la jornada: cocinar, comer, lavar los platos, volver a ensuciarlos, y así sucesivamente.

Es importante entender que, como todo lo que hemos analizado hasta ahora, el rótulo de "rutinario" está en nuestro modo de concebir el mundo, es decir, en nuestra mente, y no en el mundo en sí mismo.

Lo que nos libra de la visión rutinaria del mundo es la capacidad de observar detalles. En la "rutina" de la sucesión de momentos entre el día y la noche, podemos reparar solamente en que el sol aparece o desaparece, o podemos detectar innumerables situaciones, que además varían de un día a otro, siendo verdaderamente infinitas e irrepetibles. Cada día, con su rutina diaria, es único. Aunque el Sol repita diariamente sus posiciones respecto a nuestro planeta, con las variaciones correspondientes a las estaciones, las nubes tienen una disposición diaria que nunca volverá a ser igual. Por lo tanto, la luz del sol incide sobre ellas de manera particular a cada momento. Y cada uno de esos instantes es diferente del anterior y del próximo. Podemos juzgar que hoy es "un día más", como cualquier otro, o advertir que este día es único, y por lo tanto especial.

Cada lluvia es distinta. Cada nube es diferente. Cada fase de la luna tiene su atractivo particular. Cada nueva estación llega de un modo distinto, y no es igual a la anterior. Incluso la misma planta de nuestra casa que vemos a diario, puede ser observada de un modo renovado, como si no la hubiéramos visto nunca. El asombro no depende de ver algo novedoso, sino de nuestra capacidad para ver lo mismo con nuevos ojos.

El milagro de la vida se despliega a cada instante: insectos, plantas, estrellas distantes, pájaros que surcan el cielo… Podemos aburrirnos mirando todo esto a diario. O podemos asombrarnos a cada instante.

En esta cultura de la renovación permanente, donde la moda pasa de moda, los coches se renuevan casi anualmente, la tecnología avanza todo el tiempo y el llamado progreso no se detiene, podemos ceder a la tentación de querer que nuestra vida también se renueve a ese ritmo. Si lo hacemos, lo más probable es que caigamos en el aburrimiento, y en el juicio de que nuestra vida diaria es siempre "más de lo mismo", en especial si la comparamos con las modificaciones que sufre el mundo de la tecnología.

Sin embargo, si logramos mirar el mundo con el asombro que la vida se merece, comprenderemos que los rótulos de rutina y de aburrimiento no están en el mundo, sino en el modo en que lo contemplamos e interpretamos cada uno de nosotros.

El ser que habita nuestro cuerpo es lo único real e inmutable

Si te vieras privado súbitamente de tus sentidos (la vista, el olfato, el gusto, el tacto y el oído), ¿seguirías con vida? Por supuesto que sí. Si de improviso tu mente se pusiera en blanco, y olvidaras todos tus conocimientos y recuerdos, e incluso perdieras tu capacidad para pensar, ¿seguirías con vida? La respuesta obvia es: sí. No sólo seguirías con vida, sino que serías consciente de que estás con vida.

Procura experimentar lo que te digo. Olvídate por un instante de tus sentidos y de tus pensamientos, y limítate a experimentar la vida. Conéctate con tu cuerpo, con la energía que fluye dentro de él, y siente la vida. Respira profunda y lentamente, y siente como el aire entra y sale de tu cuerpo. No hace falta que cierres tus ojos, pero puedes hacerlo si lo prefieres. No existe una técnica única, o mejor que otra. Busca tu propio modo de experimentar la conexión con la energía interna de habita en ti. Vive la sensación de que esa energía está siempre ahí, con independencia de lo que hagas.

Si ya has llegado a conseguir la experiencia de la que hablo, prueba ahora ser testigo de lo que sucede, tanto alrededor como dentro tuyo. Me refiero a las sensaciones que experimenta tu cuerpo, los sonidos que percibes, las luces que ves, e incluso los pensamientos que atraviesan tu mente. No juzgues lo que sucede como bueno o malo. No le pongas nombre a los sonidos ni a las sensaciones que percibes. Limítate a darte cuenta de que puedes ser testigo de toda esta actividad, y que incluso puedes convertirte en el testigo de tus propios pensamientos.

¿Has logrado esta experiencia? Si lo has hecho, esto significa que te has dado cuenta de que existe algo más por encima de tu pensamiento, y que ese algo es capaz de advertir que tú estás pensando.

Prueba esta experiencia con frecuencia, y advierte cuán poderosa es. Observa tus pensamientos con mucha atención, y verás como nacen y mueren dentro de tu mente, y cómo son reemplazados por otros, que siguen el mismo curso. Y a pesar de ese recambio permanente, el ser o la conciencia que observa esos pensamientos permanece inmutable. Este es el principio de la meditación.

Piensa en el mar, sobre el cual el viento provoca fuertes olas. Esas olas son superficiales: en la profundidad del mar, el agua no se mueve. Lo mismo sucede contigo: los pensamientos van y vienen, pero por debajo de esa actividad mental está tu conciencia, que permanece inmutable, como testigo silencioso de tus propios pensamientos, y de la experiencia que tienes a cada instante de tu vida.

Si durante la experiencia de pensar estás metido en tu propio torrente de pensamientos, ese torrente te arrastrará, creará fuertes emociones en tu cuerpo, y estarás a merced de esa corriente mental. Es lo que nos sucede cuando no podemos dejar de pensar, y nuestros propios pensamientos nos provocan un sufrimiento que no somos capaces de evitar. Este ejemplo equivale al oleaje superficial del mar, en que el viento hace lo que quiere. El viento está representado por tus pensamientos, que corren sin cesar. Ese viento provoca el oleaje, que en tu caso corresponde a las emociones que experimenta tu cuerpo. Si estás en la superficie de tus pensamientos, estás a merced del oleaje emocional, que te hace sufrir.

Si por el contrario consigues sumergirte en el mar de tu ser, el oleaje ya no te afectará: estarás inmerso en las aguas que permanecen calmas, inmunes a los embates del viento. ¿Cómo se consigue esta experiencia? Hundiéndote en la experiencia misma de estar pensando, y no en tus pensamientos. Conéctate con la conciencia que es testigo de la experiencia, pero que no se identifica con lo que sucede. Si consigues separarte de tus pensamientos y limitarte a observarlos, verás que pierden fuerza, como pierde fuerza el viento en las aguas profundas del mar.

Un modo de lograr esta separación es conectarte con esa conciencia testigo a través de tu cuerpo. Húndete en tu cuerpo interior. Siente la experiencia de estar vivo desde dentro de tu cuerpo. Experimenta la paz que te brinda la respiración. Siente la intensidad del simple hecho de estar con vida. Experimenta en ti el milagro de la vida. Cuando consigas esto, podrás contemplar tus propios pensamientos, incluso con sorpresa: te asombrará ver lo que piensas, y lo cambiantes que son tus ideas acerca de ti mismo y del mundo.

Volviendo al ejemplo del viento y del mar, ¿dónde y cómo se originan las ráfagas de viento? No podrías precisarlo. El aire se mueve, pero no sabes cómo comienza a moverse. Y tampoco puedes decir que deja de moverse en determinado momento, o que en cierto punto cambia de dirección o de intensidad, para dirigirse hacia otro lado. Todo esto es un misterio. Lo único que puedes hacer es experimentar los efectos del viento: el aire que golpea tu rostro, que agita las hojas y el mar, etc. Con independencia de cómo se produce y cómo se modifica, tienes la capacidad de experimentar el viento.

Con tu actividad mental sucede lo mismo: no puedes saber cómo aparece cada uno de tus pensamientos, ni por qué lo hace. Y tampoco puedes saber cuándo muere y adónde va tu pensamiento. Aparece y desaparece en el seno de tu mente. Pero tu mente tampoco es algo concreto, como una pantalla de televisión o de ordenador, sobre la cual se escriben los mensajes. Por lo tanto, ¿podríamos considerar que tus pensamientos son reales? ¿En verdad existen, o son como el viento, del cual lo único que podemos conocer son sus consecuencias?

Tus pensamientos son como mensajes que alguien escribe en la arena del desierto. Están escritos con arena; por lo tanto, son arena. Arena organizada de otro modo, con surcos que permiten interpretar letras y descifrar un mensaje. Pero arena al fin y al cabo. Es más: la propia arena, arrastrada por el viento, borra los mensajes escritos sobre ella, como tus nuevos pensamientos borran los anteriores. ¿De dónde sale la arena? No lo sabes. ¿Adónde va la arena? No lo sabes. ¡Ni siquiera sabes quién escribe los mensajes! Si fueras tú el autor de esos mensajes, escribirías poemas o bellas canciones, es decir, sólo tendrías pensamientos positivos.

Si pudieras gobernar lo que escribes en la arena de tu mente, ¿redactarías mensajes que te decepcionen? ¿Tendrías voluntariamente pensamientos negativos? Si de verdad fueras tú quien hace todo esto, no sólo escribirías textos hermosos en la arena de tu mente, sino que procurarías mojar la arena para que esos mensajes no se borren. Harías todo lo posible para que tus pensamientos no sólo fueran positivos, sino también duraderos. Sin embargo, ya ves: quieres dejar de pensar, y no puedes. Quieres tener pensamientos positivos, y surgen en ti ideas funestas. No tienes control sobre tu actividad mental. Lo que sí tienes, claro, es la posibilidad de mirar tus propios pensamientos desde tu ser interior, e incluso reírte de ellos, como se reiría un peregrino del desierto si encontrara un mensaje escrito sobre la arena, y supiera que no tiene ningún sentido, puesto que un minuto después el viento lo habrá borrado.

Tus pensamientos son menos importantes de lo que crees. En cierto punto, ni siquiera tienen una existencia real. Lo único real y permanente es el ser, que puede atestiguar tus propios pensamientos. Ese ser permanece inmune a la muerte o el nacimiento de un nuevo pensamiento. E incluso es inmune a la desintegración que tarde o temprano experimentará tu cuerpo.

Reconócete a ti mismo: eres mucho más que tu pensamiento

El reino del pensamiento es útil cuando nos movemos en el ámbito de la abstracción y de las ideas. Para analizar las alternativas de un proyecto de ingeniería, se necesita pensar. Sería absurdo plantear que debemos desterrar de este mundo el pensamiento, porque es pecaminoso, o se opone a cualquier camino espiritual.

Sin embargo, es justo reconocer que el pensamiento no siempre resulta de utilidad. Es más; en algunos casos, sucede precisamente lo opuesto: el pensamiento no sólo resulta molesto, sino que nos impide estar en paz. Los temores, juicios, dudas, el remordimiento, o cualquier pensamiento pesimista (o incluso optimista) acerca del futuro o melancólico sobre el pasado, limitan nuestra capacidad de acción, y nos sumergen en estados emocionales negativos.

Ahora bien. Más allá de nuestro pensamiento, existe una sabiduría y una energía que brotan sin necesidad de pensar. De ese campo provienen las experiencias de paz y las intuiciones, entre otros fenómenos. Está claro que, aunque dejemos de pensar, seguimos con vida y seguimos teniendo experiencias. Lo que no está tan claro es que, cuando abandonamos el reino del pensamiento, esas experiencias son más profundas y dichosas, y nos acercan cada vez más a la verdad de quienes somos.

Cuanto más piensas en lo hermoso de una situación, más lejos estás de ella. Cuando piensas en alguien que amas, ¿estás amando? Si así fuera, bastaría inventarse un amor para amar y ser feliz.

Conoces a alguien, y en poco tiempo te dices que estás enamorado. La otra persona opina lo mismo de ti. Os deseáis con locura. Pero tu pareja debe partir, y te quedas solo. Y reflexionas. Te sientes feliz porque piensas que amas y eres amado. Sin embargo, ese amor sólo está en tu mente. No existe. Puede que la otra persona te abandone, se vaya con otro, y tú sigas sintiéndote feliz porque crees que alguien te ama, y tienes a quien amar. Luego te enteras de que tu pareja ya no quiere estar contigo, y te decepcionas y sufres. Ya no sientes el mismo amor; porque en realidad ese amor no existía. No estaba en ti. Estaba sólo en tu mente. No era más que una ilusión. Y tú eres mucho más que esa ilusión.

Cuando echas de menos a alguien porque estás enamorado de esa persona, estás pensando. Estás recordando momentos que pasaste con ella o él; o estás imaginando cómo será el reencuentro. Estás en el pasado o en el futuro. Estás en el reino de la mente. El amor, el amor verdadero, no es mental: proviene del ser. Y sólo se puede ser en este preciso y precioso instante en que tus ojos se posan sobre estas letras. Por tanto, si estás perdido en pensamientos sobre la otra persona, no estás experimentando amor: estás viviendo una ilusión.

Los conocimientos se transforman en pensamientos. Cualquier resolución de un problema se realiza a través del razonamiento, en el cual se entrelazan los pensamientos. Si este conocimiento fuera una fuente de felicidad, un analfabeto nunca podría ser feliz. Sin embargo, habrás visto gente analfabeta, que vive en medio del campo o en lugares remotos, y es más dichosa que cualquier persona rica y famosa de cualquier gran ciudad. Viven una vida simple, de despreocupación, de aceptación de todo lo que sucede. No saben nada. Y no sólo son felices a pesar de su ignorancia: son felices gracias a ella. Viven en el reino de las experiencias, y no de las ideas. Viven, sin saberlo, en comunión con la naturaleza y con su ser interior. Son uno con el todo. Lo son, sin siquiera saberlo. Y esto es lo maravilloso: ¡no se jactan de las experiencias espirituales que tienen! No viven en el mundo de las ilusiones, de los sueños detrás de los cuales corre la mayoría de la gente, en su búsqueda desenfrenada. Viven la eterna experiencia del momento actual.

Vivimos un sueño. El hecho de que sea un sueño colectivo, en que todos soñamos lo mismo, le otorga una apariencia de realidad. Pero sigue siendo un sueño. El sueño del pensamiento. El sueño de la mente. El sueño en el que, como nos sucede durante los sueños nocturnos, nada es lo que parece.

Si necesitas compañía, música, o cualquier otra opción para sentirte "acompañado", es que no puedes estar contigo mismo ahora mismo. Y si no puedes estar contigo mismo, ¿con quién más estarás? Necesitas del otro porque no te llevas bien contigo mismo; necesitas del otro porque no soportas tu propia compañía. Y el único modo de que no soportes tu propia compañía es que estés dividido en dos: tú, y la compañía de ti mismo.

Tú, quien de verdad eres, puede estar en paz con sí mismo. Ese ser interior es pura paz. ¿Cómo podría la paz no estar en paz? El problema lo tiene el otro tú, el que se identifica con lo que haces o piensas, el que cae en la ilusión de creer que con otra persona o en otra situación estaría mejor. Si acabas con esa separación o esa ilusión, la necesidad de compañía desaparece.

Si la soledad te abruma, te deprime o te aburre, significa que no estás conectado con tu ser. Hay en ti una escisión. Está tu ser por un lado, y por el otro tu mente, anhelando algo más, alguien más, pensando que si la situación actual fuese distinta, todo iría mejor. Si obedeces a tu cabeza, o sientes la repercusión de tus pensamientos en tu cuerpo, experimentarás tristeza, desánimo, aburrimiento… Cuando conectas contigo mismo, en cambio, esta escisión desaparece: sólo eres tú mismo, sin opiniones, sin recuerdos sobre el pasado ni conjeturas sobre el futuro. Y no sólo sabes que no necesitas nada más: puedes experimentarlo.

Hay miles de libros que te dicen qué hacer para ser feliz. Este podrá parecer uno más. Sin embargo, la idea de este libro es que no necesites leer nada más, ni siquiera estas líneas. Puedes abandonar este libro ahora mismo, si quieres. Y sobre todo, si ya estás decidido a cesar toda búsqueda o todo esfuerzo por ser feliz.

No te hace falta aprender nada para liberarte del sufrimiento y acceder a la verdad, al ser, a la dicha. En realidad te hace falta desaprender, olvidar el conocimiento acumulado, las clasificaciones, los juicios, las conjeturas… te hace falta despojarte de todo el bagaje de ideas que has acumulado a lo largo de la vida. Te hace falta dejar de recordar, de anhelar, de conjeturar, y limitarte a ser. Te hace falta abandonar el reino del pensamiento, y entrar en el reino de la experiencia. Eso es todo.

Juzgar una situación o persona hace que rechaces lo que está sucediendo, y que en reemplazo quieras algo diferente. Incluso un juicio positivo (por ejemplo, sentirte a gusto en un lugar) activa ese mecanismo, ya que te lleva a anhelar más de eso mismo que te gusta, y a rechazar todo lo que se oponga a esa experiencia. Por lo tanto, aunque el juicio sea positivo, te hace sufrir porque temes que esa experiencia llegue a su fin, o no se repita nunca más…

Tus pensamientos cambian de un momento a otro. Aparecen, pero ¿sabes cómo se originan? ¿De dónde vienen? Luego desaparecen… ¿Adónde van? ¿Existe algún cesto de residuos para nuestros viejos pensamientos? Si cambian, van y vienen, y luego desaparecen, ¿cuán reales son? ¿Tienen tanto peso como para que sufras por lo que piensas?

No quiero decir con esto que es necesario perder la memoria, dejar de usar los conocimientos que tienes, y retirarte a una montaña como un ermitaño. Digo que esos conocimientos son, precisamente, las barreras que impiden el contacto con tu ser interior. Una vez que hayas experimentado el contacto con ese ser, y comprendas de qué modo te limitaba tu intelecto, puedes volver a vivir la vida que vivías. O bien puedes cambiar. De hecho, seguirás pensando. Pero lo harás sólo cuando de verdad lo necesites, y centrarás tu atención en los pensamientos que te resulten de utilidad. Lo importante ya no será lo que hagas, sino quien seas cuando haces lo que haces.

Estas palabras no son consejos sobre qué hacer: sólo sirven para recordarte quién eres en realidad. Apuntan a que reconozcas en ti al ser que está por encima de tu pensamiento. Cada uno debe hacer su propio camino, sin seguir recetas ni hacer comparaciones. Algunas frases que te suenen familiares aquí sólo representarán para ti carteles indicadores de que estás en el mismo camino que otros; nada más. El camino es el mismo para todos, pero la experiencia es distinta de una persona a otra. Vive tu propia experiencia. Y sobre todo, no la compares con la de los demás.

Nuestra pretendida libertad es una ilusión: ¿elegimos o somos elegidos?

¿Dónde termina la libertad y empieza la predestinación? ¿Cuánto de lo que te sucede depende verdaderamente de ti, y cuánto de quienes te rodean? ¿Decides tú o decide el Universo?

¿Somos verdaderamente libres? Hazte consciente de tus pensamientos. Esos pensamientos te hacen sufrir: sientes culpa, temor…

Ya vimos que si pudieras controlar esos pensamientos negativos, elegirías no tenerlos. ¿O acaso te gusta sufrir? Si no puedes controlar tus pensamientos, y todas tus acciones surgen a partir de un pensamiento, ¿en verdad eres libre?

Caminas descalzo por una playa, mientras el mar moja tus pies; y disfrutas de ello. ¿En qué medida has decidido esa experiencia? ¿Te ha llamado el mar? ¿Has llamado a la arena para que se pose bajo tus pies? ¿Ha habido libertad en esa decisión? ¿Quien disfruta eres tú, el mismo que ha decido sumergir sus pies en el agua del mar? Quizá sólo exista ese disfrute, como una experiencia que sientes en tu cuerpo... ¿Hay un mar y un ser, separados? ¿O sólo existe la mágica experiencia del contacto del agua con tus pies?

¿Estarías dispuesto a aceptar que todo simplemente sucede, sin causa ni efecto, sin que medie decisión alguna? ¿Acaso te aterra esa idea?

Si aceptaras que no eres libre, que tú no decides... ¿rechazarías lo que sucede? ¿Acaso te enojas cuando llueve y tú querrías ver el sol? Si no puedes controlar tus propios pensamientos, menos aún podrás modificar las condiciones meteorológicas. Y si sabes que no puedes controlar la lluvia, ¿qué sentido tiene que te enojes porque llueve? ¿Transformarás la lluvia en sol gracias a tu enojo?

Al igual que la dualidad o polaridad, el concepto de libertad es sólo eso: un concepto, un juicio. Un pensamiento aparece en el seno de tu conciencia, y tú te arrogas la propiedad de esa idea. ¿Realmente es tuyo ese pensamiento? Recuerdas a una persona, y decides llamarla. Te juntas con ella, y mientras conversáis, dices: decidí llamarte. En realidad no fue tu decisión. Un pensamiento llegó a tu mente, pero no sabes cómo, ni por qué. Quizá un olor te recordó una situación con esa persona, y por eso quisiste llamarla. Sin embargo, no lo sabes. Y si lo supieras, te darías cuenta de que no fuiste verdaderamente libre. Tu decisión fue la consecuencia de la percepción de ese olor, y tú no fuiste en busca de ese olor: simplemente llegó a tu sentido olfativo de un modo desconocido. Por lo demás, si ese olor te llevó a llamar a una persona, el proceso fue inconsciente. Tú, no sólo no tomaste la decisión: ni siquiera te enteraste de cómo sucedió todo.

Cuando de improviso comienzas a tararear una canción: ¿puedes decir que has escogido esa música? Y si es así, ¿eres consciente de ese proceso de elección? ¿Podrías rastrear ese proceso y repetirlo?

¿Sabes qué te lleva a escuchar determinada música cuando enciendes tu equipo de sonido? ¿Ha sido esa una decisión tomada por ti mismo, o algo que simplemente sucedió? Y después de todo, ¿acaso lo más importante no es disfrutar de la canción, sin hacerse tantas preguntas?

¿En verdad importa si eres libre? Si Dios, el Universo o el ser que habita en ti, están dirigiendo cada acto de tu vida, y disfrutas de ella, ¿tiene sentido saber si tú tomas las decisiones, o por el contrario las toma otro? Y si tú decides, y tu vida está llena de sinsabores, ¿estarás satisfecho con tu libertad? ¿De qué te servirá el orgullo de ser libre? En realidad, si no te sientes a gusto con tu vida, tu pretendida libertad será más una carga que un motivo de satisfacción. Pensarás que has decidido algo negativo para tu vida, y que podrías haber usado tu libertad para tomar una mejor decisión. Te sentirás más culpable que orgulloso.

Si en tu vida te guía tu intuición o corazonada, y esa información te llega de alguna parte ignota, ¿eres tú quién toma la decisión? Si eres creyente, y Dios decide cómo es tu vida, ¿te parece que eres libre, o por el contrario estás siguiendo lo que alguien más ha decretado? Cuando tu intuición no te falla, te sientes satisfecho y feliz. Crees que has tomado una decisión magnífica. Y quizá lo único que hayas hecho sea obedecer lo que alguien o algo (Dios, o el Universo, o quien quieras) han decidido por ti.

Si crees que Dios sabe qué es lo mejor para ti, y él contradice lo que tú le pides para tu vida, ¿por qué sufres? Rezas y dices: "Hágase Tu voluntad, así en la Tierra como en el Cielo". Luego sucede algo que, si crees en Dios, puedes interpretar como su voluntad. ¿Por qué rechazas entonces lo que pides en tu propia plegaria? ¿No estás pidiendo que se haga la voluntad de Dios, y no la tuya? ¿No sabe acaso Dios qué es lo mejor para ti? Y si tú quieres algo distinto de lo que Dios quiere para ti, ¿por qué no lo buscas por ti mismo, en lugar de pedírselo a él?

¿Estás feliz porque tu corazonada fue acertada, o simplemente estás disfrutando de lo que sucede, con independencia de quién lo ha decidido? ¿Importa acaso cómo se dio el proceso de decisión? ¿En verdad hubo "decisión"? Y si los resultados no han sido los esperados, ¿puedes aceptarlo en paz? Si puedes estar en paz, y aceptar que los resultados no dependen de tu voluntad, entonces sí estarás siendo verdaderamente libre...

Eres verdaderamente libre cuando aceptas que no necesitas ninguna clase de libertad. Una nube es libre. No puede moverse por sí misma. Necesita del viento, y sin embargo es libre. Nada la condiciona. "Acepta" plenamente que el viento la lleve, modifique su forma, y la transforme finalmente en agua de lluvia, es decir, en lo que es, como tú te conviertes en lo que de verdad eres si aceptas todo lo que sucede.

Si te acercas mucho a una nube, y llegas a tocarla, ya no verás una nube sino un conjunto de gotas de agua. Esas gotas de agua, completamente libres, pasan del estado líquido al gaseoso, una y otra vez, en un viaje perpetuo. No son libres en el sentido de poder elegir su destino. Pero son libres porque nadie las detiene, y porque no necesitan ninguna clase de libertad. Simplemente son lo que son. Y están unidas al todo a través del ciclo del agua. Son nubes si las miras desde lejos, por un instante. Son vapor de agua si te acercas, o esperas a que se disuelvan en el cielo. Como tú, parecen tener una existencia individual; sin embargo, son una porción del vapor que forma parte de la atmósfera. ¿Puedes aceptar que contigo sucede lo mismo que con una nube? ¿Admites que más allá de tu cuerpo y tu identidad mental, formas parte de algo mucho más vasto, sutil e imperecedero, y que en ese "todo" reside la verdadera libertad y la verdadera dicha?

La verdadera libertad no consiste en torcer la realidad de acuerdo con nuestros deseos, sino en aceptarla. A mi juicio, la libertad no es elección; es aceptación. O en todo caso, la libertad es elegir la aceptación en lugar del rechazo. Elegir la aceptación es también desterrar la concepción bipolar o dual del mundo. Si acepto que está lloviendo, la dualidad "un día precioso versus un día gris" desaparece, puesto que ella es el resultado de mis juicios acerca de la lluvia, y no de la lluvia en sí misma.

Me dirás que no eres una nube; que eres un ser de carne y hueso, capaz de razonar y de sentir. Es cierto. Pero también es cierto que, desde un punto de vista energético, no eres más que un conjunto de átomos, de moléculas, de células y de órganos y tejidos, operando conjuntamente para cumplir determinadas funciones. Esos átomos son, en definitiva, iguales a los que puedes encontrar en el vapor de agua que conforma las nubes. Al fin de cuentas, somos energía en movimiento. Por eso mismo, cuando morimos, nos desintegramos y volvemos a formar parte del todo. Antes o después, somos parte del Universo. ¿Por qué no experimentar esa unión en vida, en lugar de esperar a nuestra muerte para formar parte del todo nuevamente?

Aceptación no es lo mismo que resignación

Cuando le hablo a algunas personas acerca de la aceptación, me responden diciendo: "aceptar todo tal cual es implica resignarme ante situaciones que me desagradan o me provocan sufrimiento. Si acepto lo que sucede, no puedo cambiar nada".

Rechazar lo que sucede y no podemos cambiar, en realidad, no nos ayuda en nada: sólo nos hace interpretar que todo podría ser distinto, y por tanto, nos sume en el sufrimiento. La verdadera capacidad para cambiar el mundo reside en la aceptación.

La aceptación implica reconocer que, lo que sucede, sucede. Es simplemente eso. Se acepta aquello que no podemos cambiar. Cuando nieva, por ejemplo, podemos aceptar que nieva. De hecho, no podemos hacer más que aceptar ese fenómeno, puesto que no podemos cambiarlo. Rechazarlo mentalmente en un síntoma de locura, pues el rechazo no modificará las condiciones meteorológicas. Lo que sí podemos cambiar es la interpretación que hacemos de la nieve. Y en eso reside nuestro poder.

En ocasiones aceptamos lo que sucede en el mundo exterior (en este caso la nieve), pero rechazamos mentalmente lo que ese hecho nos provoca (por ejemplo, el bloqueo de una carretera por la que pasamos a menudo), y nos enojamos, pues deseábamos salir de la ciudad. Por lo tanto, podríamos concluir que la verdadera aceptación, la que nos conduce a la paz, consiste en aceptar tanto lo que sucede exteriormente (la nevada) como la consecuencia de ese hecho (en este caso el bloqueo de la ruta).

Con frecuencia, la gente confunde resignación con aceptación. Dicen, por ejemplo: "mi padre murió; tengo que resignarme...". En ese caso no hablamos de resignación sino de aceptación. No podemos modificar la muerte de una persona; sólo podemos aceptarla. A veces creemos haber aceptado lo que sucedió. Decimos, por ejemplo: "Sí, acepto que mi padre murió. Pero me parece injusto". Si lo consideras injusto, no estás aceptándolo: te resistes mentalmente a que esa muerte haya ocurrido. Estás volviendo a la concepción bipolar de la existencia, en que la muerte es injusta, y la vida es justa. La vida y la muerte no son justas ni injustas en sí mismas. Simplemente son lo que son. La justicia y la injusticia sólo son posibles en el reino de la mente, que interpreta lo que sucede. Lo que es justo para algunos, a otros les parece injusto. No existe la verdad absoluta.

Resignarse es negarse a ver que podemos cambiar determinadas situaciones que no nos agradan (nuestra economía, el trabajo, el lugar en que vivimos, etc.) Aceptar, en cambio, es reconocer que no podemos modificar determinados hechos (nuestra edad, el tiempo meteorológico, el comportamiento de los demás, etc.), y que, por lo tanto, no tiene sentido sufrir por situaciones que escapan a nuestro ámbito de decisión o resolución. Cuando aceptamos aquello que no podemos cambiar, es decir, le damos derecho de existencia a lo que es, alcanzamos un estado de paz.

El grado de paz interior refleja nuestro nivel de aceptación

Todo lo que sucede en el mundo exterior repercute de algún modo en el mundo interior. El termómetro para medir mi grado de aceptación es lo que experimento interiormente. Puedo declarar que acepto que mi pareja me haya engañado. Sin embargo, si ese hecho me inspira resentimiento, mi emoción prueba que no he aceptado del todo esa situación.

La prueba de una verdadera aceptación es el estado de paz interior. Si existe alguna emoción en mi cuerpo que se refleje en forma de tensión o incomodidad, esa es la prueba evidente de que no estoy aceptando lo sucedido, sino rechazándolo mentalmente (aunque no sea consciente de ello).

Cuando estamos muy enojados, resentidos o tristes, la emoción es evidente. Podemos reconocer la tensión en nuestro cuerpo, ponerle un rótulo lingüístico a esa emoción (llamarla tristeza, decepción, etc.), y trabajar sobre ese estado.

En este camino de aceptar lo que sucede como modo de alcanzar la paz interior, lo más difícil es reconocer las emociones más sutiles. Con frecuencia no nos sucede nada realmente malo. No podemos definir nuestro estado emocional tan categóricamente como en los ejemplos anteriores. Sólo nos sentimos ligeramente tristes, o un poco descontentos, insatisfechos o quizá incómodos, pero nos cuesta comprender el motivo de ese estado, e incluso ponerle un nombre a ese malestar.

A veces el motivo de nuestro descontento es que nos decepcionamos porque alguien no cumplió con nuestras expectativas. Con frecuencia creemos que si alguien no responde a nuestros deseos, esa persona no nos quiere. Por lo general no hablamos sobre el tema; no le preguntamos a la otra persona si esto es así, o no. Simplemente hacemos juicios, exigimos, anhelamos. Y cuando no sucede lo que esperábamos, sufrimos.

Conjeturamos sobre la vida ajena con demasiada frecuencia. Pensamos por los demás. Esperamos actitudes que nunca pedimos. Buscamos mentalmente y esperamos de los demás sin saber muy bien para qué. Y no vemos que la paz consiste en dejar de buscar, dejar de conjeturar, dejar de anhelar, dejar de tener expectativas...

En ocasiones lo que no aceptamos es el pasado. Parece una locura no aceptar el pasado, pues ya no existe y no podemos cambiarlo. Sin embargo, con frecuencia rechazamos algo que ya sucedió, y nos oponemos mentalmente a esa situación. El rechazo de lo que no podemos cambiar (en este caso el pasado) genera resentimiento. El resentimiento es re-sentir (volver a sentir) determinada emoción una y otra vez, como producto de un pensamiento repetitivo, que pretende algo imposible: cambiar el pasado. Lo que sucedió, ya sucedió, y por tanto no podemos cambiarlo. Sólo podemos aceptarlo completamente.

La naturaleza contiene una sabiduría inexplorada, que nos ayuda a descubrir nuestro mundo interior

Cuando hablamos de la naturaleza, cedemos a la tentación de clasificarla, de medirla, de valorarla de acuerdo con lo que podemos obtener de ella. Buscamos aprender acerca de la naturaleza, y no aprender de ella.

La visión científica aspira a medir, pesar, interpretar y clasificar a la naturaleza. El lenguaje del hombre sirve muy bien para este propósito de abstraer y manipular al ambiente. Pero ese lenguaje no consigue representar las experiencias que la naturaleza nos muestra o nos proporciona de forma directa.

Mediante el lenguaje se pueden describir algunos fenómenos, pero nada se compara con el hecho de experimentar un atardecer, una tormenta eléctrica o una nevada. La crónica del viaje es muy diferente de la experiencia que ese viaje nos proporciona. En este sentido, la naturaleza tiene su propio lenguaje. El sonido de la lluvia, de los truenos, del oleaje del mar o del gorjeo de los pájaros, es único. Y este lenguaje único de la naturaleza sólo puede apreciarse a través de la experiencia directa que despiertan en nosotros estos fenómenos.

Podemos describir una nevada; pero esa descripción es un pálido reflejo de lo que la nieve es en sí misma. Esta situación es similar a la descrita al hablar de la diferencia entre los pensamientos y la experiencia de pensar. Los pensamientos, que se plasman en palabras, aparecen y desaparecen. La experiencia de pensar es permanente (a menos que uno ponga la mente en blanco), y difícil de representar con palabras.

Por lo demás, dado que somos seres biológicos que compartimos una fisiología en común con los animales, el contacto con la naturaleza nos recuerda nuestra evolución ancestral, y nuestro vínculo con ella. Vemos gracias a la luz del sol. Podemos vivir en la Tierra gracias a que el sol proporciona temperaturas adecuadas para nuestras funciones biológicas. Esa misma radiación solar oscurece nuestra piel tras la exposición prolongada, lo que prueba nuestra adaptación a la naturaleza. En suma, somos parte de la naturaleza, aunque el mundo artificial que hemos creado a nuestro alrededor nos lleve a olvidar esa pertenencia.

Como ya vimos, el observador es parte de la realidad. Cuando te sientas a ver un amanecer sin juzgarlo, en completo silencio y en paz, eres parte de ese fenómeno. De hecho, el fenómeno se manifiesta como tal gracias a tu conciencia que lo percibe, y a tus sentidos, que transforman la luz en colores, y los sonidos en impulsos auditivos. En esos casos no piensas en la naturaleza; eres parte de ella. Puedes describir lo que ves, o pensar acerca de ese fenómeno. Pero nada se compara en intensidad a la experiencia de vivir ese amanecer sin juzgarlo, sin pensar, formando parte de la naturaleza, como si tú mismo amanecieras junto con el paisaje que contemplas.

¿Has visto a un pájaro preguntarse dónde hacer el nido, qué árbol le conviene para emplazarlo, o de qué tamaño debe construirlo? El pájaro no piensa. Su hacer es una prolongación de su ser. No está disociado como nosotros, que por un lado somos y por el otro hacemos. No piensa; vive. No conjetura; habita la Tierra en una experiencia perpetua, intemporal, en que no importa nada más que el momento presente.

Los animales tienen su propia sabiduría, incluso sin saberlo. Las termitas australianas construyen hormigueros llamados magnéticos: son delgados, y están orientados en dirección norte-sur. La cara que mira al norte, la que más se calienta por la insolación, es muy angosta. De este modo el sol no alcanza a calentar el hormiguero como sucedería si la cara que mira al sol fuese ancha. ¿Dónde aprendieron esto las hormigas? ¿Acaso necesitan pensar para acceder a este conocimiento?

Si un ave pensara, probablemente nunca tomaría la decisión de cruzar el planeta de un hemisferio a otro volando. ¿Volar decenas de miles de kilómetros sólo para conseguir alimento y condiciones meteorológicas más benignas? ¡Qué locura! Si reflexionara, el ave se quedaría quizá cómodamente en un lugar, y buscaría otras alternativas. Pero el ave no se pregunta nada: simplemente vuela, como una prolongación de lo que es. Vive inmersa en la experiencia de volar. No juzga lo que hace. Simplemente es como es.

Los animales poseen una inteligencia natural: viven sin pensar, como reflejo del ser. ¿Podrías probar esta experiencia de limitarte a ser, sin pensar, sin esperar nada, sin lamentar nada, aunque sea por un minuto? Siéntate en un lugar tranquilo, y por un instante, limítate a tener esta experiencia. No busques nada. No esperes nada. Simplemente acepta todo lo que sucede, y fúndete con la experiencia que estás teniendo, sin juzgarla ni pensar acerca de ella.

¿Puedes hacer esto? ¿Cómo te sientes en ese instante? ¿Cuánto tiempo crees que podrías prolongar esta experiencia?

Observa la cantidad de formas de vida que conviven en la naturaleza. Si miras, verás armonía. Millones de seres compartiendo el mismo hábitat, del mismo modo en que nosotros compartimos las grandes metrópolis. Presta atención a la diferencia. Nuestras ciudades son un caos. En la naturaleza, en cambio, se respira paz. Parece incluso que cuanta más vida hay en ella, más armonía se percibe. En el aparente caos de una selva, reina el más absoluto orden. Cada animal cumple una función, que se complementa con la función de otro, y con la de las plantas, el agua, el sol y otros elementos. Incluso los troncos podridos y el interior del suelo albergan una profusa variedad de seres vivos

Esos seres viven en armonía. Podrás argumentar que esa armonía es relativa, ya que, por ejemplo, unos animales se comen a otros. En mi opinión, esa cadena alimenticia es precisamente parte de la armonía. Si unos no murieran, otros no podrían vivir. En definitiva, sin muerte no habría vida. Si la población humana creciera indefinidamente, o fuésemos inmortales, ya no habría lugar para todos en el planeta (al menos si siguiéramos viviendo como lo hacemos actualmente). Lo mismo sucede en el mundo natural.

La creencia de que hay algo incorrecto en la relación predador-presa, e incluso en la muerte, está en nuestra mente. La naturaleza mantiene su equilibrio a lo largo del tiempo a través de sus relaciones. De hecho, el hombre le ha hecho más daño a la naturaleza del que la naturaleza se ha hecho a sí misma. Sin la presencia del hombre, la naturaleza podría perpetuarse eternamente. Sin ella, en cambio, nosotros no podríamos vivir.

Un animal vive en el presente. No sabe del pasado o del futuro. Los pájaros no saben la hora. Su "hora" es ahora. Siguen un ritmo biológico, no cronológico. Y no tienen memoria, puntos de referencia: no saben de almanaques, ni de meses, ni de años. Están conectados con el resto de la naturaleza, y de este modo saben, por ejemplo, cuándo deben migrar. Nadie se los dice. Simplemente reciben esa señal de un modo inequívoco.

Nuestro tiempo es creado por la mente, a través de referencias espaciales y temporales que determinan la existencia de un pasado. Vemos que la gente cambia porque recordamos cómo eran antes, y podemos medir el tiempo transcurrido desde la última vez que los vimos.

Cuando dejamos de pensar, o de recordar, nuestra existencia se vuelve atemporal. Sin un pasado que recordar y un futuro que esperar, la vida se reduce al precioso instante en que nos sentimos vivos.

Esta poderosa atención al momento presente puede observarse en los animales. Nos resulta imposible acercarnos a un pájaro sin que advierta nuestra presencia. Si el pájaro estuviera absorto en pensamientos como a menudo lo estamos nosotros, podríamos atraparlo fácilmente.

Este estado de "alerta" o de intensa atención al instante actual, que puede percibirse en nuestro caso a través de la energía del cuerpo, de los latidos del corazón o de la respiración, es el que nos conecta con nuestro ser interior o conciencia pura. Durante esa conexión también estamos vinculados estrechamente con la naturaleza que nos rodea. En ese instante, el tiempo psicológico desaparece. Y con él desaparecen, aunque sólo sea por un segundo, todos nuestros dramas del pasado y nuestras preocupaciones acerca del futuro.

¿Imaginas una reunión de leopardos organizada para determinar qué presa cazará cada uno, o quién saldrá a cazar primero? ¿Imaginas una carrera entre las plantas, para ver quién alcanza primero la luz, y fotosintetiza con más intensidad? ¿Imaginas un pez preguntando a otros dónde debe desovar?

Así vivimos los humanos: pensando, conjeturando, suponiendo. Pensamos y buscamos más de lo que vivimos. Explicamos mucho más de lo que sabemos. Nuestra mente es maravillosa. Pero también ha creado el mundo caótico en que nos encontramos en la actualidad.

Tu vida cambia cuando tú cambias: el proceso se produce de adentro hacia afuera

Cuando pasas de la vigilia al sueño, se opera en ti un cambio sustancial. Sigues en el mismo lugar, pero no eres el mismo: tu realidad se vuelve simbólica; entras en el reino onírico. Nada ha cambiado en el mundo exterior. Sigues en tu casa. Te has quitado la ropa para dormir. Te encuentras tendido sobre la cama, completamente indefenso. Si alguien que nunca ha soñado te viera, no sabría que tu mundo interior ha cambiado completamente.

Con frecuencia pensamos que los cambios importantes suceden de afuera hacia adentro, y no de adentro hacia fuera. Pensamos que nos sentiremos mejor con un nuevo trabajo, o una nueva relación. Lo cierto es que, contrariamente a lo que podamos suponer, los cambios más poderosos ocurren cuando la transformación comienza por dentro.

Sucede a veces que tenemos un prejuicio sobre una persona, y por tanto nos desagrada. Sin embargo, después de conocerla, descubrimos que es diferente de lo que suponíamos, y en algunos casos llegamos incluso a establecer algún tipo de relación armoniosa (que no preveíamos) con ella. Este es un ejemplo de cambio interior. La persona siempre fue igual. Los que cambiamos fuimos nosotros. Y en consecuencia, la persona también "cambió" (en realidad cambió nuestra opinión sobre ella), y pudimos establecer así un vínculo diferente.

Los ejemplos sobran: personas que cambiaron su modo de pensar tras haberse salvado de una enfermedad supuestamente incurable, después de perder un familiar cercano, e incluso personas para quienes sus enemigos se convirtieron en maestros, que les permitieron aprender, y tener así una vida diferente.

Cambiar no implica necesariamente sustituir un pensamiento o una creencia por otra, o sentarse a orar o meditar. El mayor cambio interior que alguien puede hacer es limitarse a aceptar lo que sucede, y mantenerse en un estado de paz interior durante el mayor tiempo posible, con independencia de lo que ocurra en el mundo exterior. Aunque esto no parezca un verdadero cambio, en realidad lo es, y se trata de un cambio muy poderoso: el de pasar del rechazo (que provoca sufrimiento) a la aceptación de lo que sucede (que nos conduce a un estado de paz interior).

Recuerda que tu vida cambia cuando tú cambias. Ya veremos más adelante otros cambios que comienzan dentro de ti, y modifican tu mundo y el que te rodea.

TERCERA PARTE: CONEXIÓN Y FELICIDAD

La experiencia de conectarse con el ser interior es inequívoca

Hablar de iluminación, de despertar espiritual, de conexión con el ser, de expansión de la conciencia, etc., se vuelve complicado, puesto que, como ya vimos, las palabras son muy diferentes de la experiencia. Por lo demás, conceptos como "iluminación" o "despertar" incitan a la búsqueda. Y este libro se refiere a la experiencia opuesta: a dejar de buscar. A decir verdad, cuando hayas experimentado la conexión de la que hablo aunque sea por un instante, podrás reconocerla con facilidad, e incluso propiciarla a través de tu propio entrenamiento.

No existe un único modo de conectarse con el ser interior. A veces incluso sucede imprevistamente, en medio de una situación cualquiera. Lo más importante no es, en principio, lograr esa experiencia, sino aprender a reconocerla. A partir del momento en que uno reconoce esa conexión, puede anclarla a través de la respiración, la meditación u otra herramienta, y recuperarla luego voluntariamente.

Existe una diferencia entre lo que yo experimentaba durante una meditación, y lo que siento ahora en este estado de conexión. En mi caso (ignoro lo que le pasa a los demás), durante la meditación lograba "detener mi cabeza", es decir, dejar de pensar. Sin embargo, seguía contemplando el mundo a través de la mente. Es como observar la realidad a través de un vidrio. Supongamos que el vidrio está sucio, y las manchas representan a los pensamientos. Aunque limpiemos perfectamente el vidrio de manchas (la mente de pensamientos), seguiremos viendo el mundo a través del vidrio, es decir, de la mente. Esto es lo que me sucedía durante la meditación.

Si fuésemos un pez encerrado en una pecera, y los vidrios de la pecera estuvieran perfectamente limpios, ellos seguirían siendo el límite de nuestra realidad interna, y seguiríamos observando el mundo exterior a través de ellos. En mi experiencia de meditación, los vidrios están a menudo perfectamente limpios. Sin embargo, siguen estando ahí, y condicionan la percepción que tengo del mundo. En el estado de conexión con el ser, en cambio, los vidrios desaparecen, y uno contempla el mundo desde la conciencia pura, que es dicha, es paz, es amor.

Cuando me siento conectado, la gente me trata con amabilidad. Miro a alguien y me sonríe. Le hablo, y me devuelve la palabra. No siento miedo de decir algo ridículo, o de hablarle a un desconocido. Es como si no decidiera mi mente sino todo mi ser, y el ser decidiera por su cuenta, propiciando conductas que habitualmente mi mente se negaría a adoptar.

Cuando logres la conexión con tu ser interior, no abrigarás ninguna duda de que estás teniendo esa experiencia, puesto que no se parece a nada conocido, y por tanto, no existe confusión posible.

Aunque esta experiencia varía de una persona a otra, existen indicios de que estás experimentando una conexión con tu ser interior. En mi experiencia personal, algunos de estos indicios son los siguientes:

1) Una sensación de perfección, es decir, de que no es necesario hacer ni cambiar nada, y de que nada te falta. Ya tienes todo; ya eres todo. Se trata de la impresión de que el mundo se ha ordenado mágicamente (aunque en realidad es uno quien se ha puesto en sintonía con el mundo). Estas palabras pueden parecerte vacías; lo importante no es lo que estás leyendo, sino el uso de estas descripciones para reconocer la experiencia de la que hablo.

Esta perfección incluye al amor, que durante esta experiencia brota del interior de uno mismo. Por lo tanto, durante la conexión se experimenta la certeza de que no es necesario estar en pareja para sentirse completo y dichoso, aunque cualquier relación sentimental es compatible con este estado. En realidad, las relaciones verdaderamente profundas y amorosas se producen cuando las personas encuentran este estado de conexión, y no necesitan del otro para suplir sus carencias afectivas.

Este estado de conexión también nos permite confiar en la vida, en que existe un orden en el universo, y la conexión con el todo nos pone en consonancia con ese orden. Es posible que luego, al abandonar este estado, regresen nuestros pensamientos de temor, de duda, de incertidumbre acerca del futuro. Por eso me parece importante recordar la experiencia que tengamos durante la meditación o la conexión, e incluso anotarla, ya que nos brindará confianza en momentos de incertidumbre, y nos alentará a conectarnos con nuestro ser con más frecuencia.

2) La convicción de que todo lo que nos sucede internamente (decepción, alegría, tristeza, enojo, culpa, etc.) es provocado por nuestra mente, y no por las situaciones que vivimos. Durante la conexión con la conciencia pura percibimos el mundo de un modo completamente neutral, y advertimos que son nuestros juicios (y emociones) los que provocan el malestar que con frecuencia sentimos frente a determinadas situaciones.

3) La percepción de una sutil energía o vibración que recorre todo tu cuerpo, como si se tratara de una suave corriente eléctrica, fácilmente reconocible en los dedos de tus manos (quienes hacen Reiki y otras disciplinas similares está familiarizados con esta experiencia). En mi caso, la primera vez que experimenté esta energía fue durante un taller de meditación con chakras.

4) Un brillo inusual en los objetos que percibes, aunque sean los mismos que ves en tu vida cotidiana. En ocasiones puede parecerte que esos mismos objetos son diferentes de como los ves a diario, puesto que ya no estás juzgándolos o reconociéndolos, sino viéndolos por primera vez por medio de tu conciencia pura. Con frecuencia parece que una luz más intensa de lo habitual iluminase todo lo que uno ve.

5) Un estado de paz, relajación y alegría inusuales, y una ausencia de emociones, o la presencia de emociones muy cortas y sutiles, que casi no tienen repercusión sobre cómo te sientes. En este sentido, la experiencia es similar al modo en que experimentan las emociones los niños, quienes pasan del llanto a la alegría muy rápidamente, sin que su estado emocional cree secuelas de resentimiento, culpa, etc., algo que sí sucede con frecuencia en los adultos.

Experimentarás también, quizá, una sensación de que tu cuerpo pesa menos que de costumbre, y de que caminas con una ligereza inusual.

En realidad, en este estado las emociones surgen en el momento, y se extinguen rápidamente. Al no haber una conexión con el cuerpo emocional y con las emociones no sanadas del pasado (experiencias que hemos rechazado mentalmente por juzgarlas dolorosas), lo que surge en el momento es simplemente la emoción actual, como le sucede a un niño que llora intensamente, y un minuto después no tiene restos de la emoción que lo llevó al llanto.

En esos momentos de conexión puede percibirse claramente que la mente nunca puede traernos paz interior. Puede ponernos eufóricos, alegres, etc. Pero por más positivas que sean estas emociones, son sólo emociones, y como tales, son pasajeras. La verdadera dicha viene de adentro del ser. Experimentarla nos ayuda a desconectarnos de la mente. Y desconectarnos de la mente nos ayuda a experimentarla.

La descripción de esta ausencia de emociones puede ser interpretada como sinónimo de que el mundo es aburrido o insulso. Sin embargo, la paz y la alegría interior que brotan de la experiencia de conexión con el ser no tienen nada ver con el aburrimiento o la apatía. Se trata precisamente de un estado opuesto a estas emociones. Durante la experiencia de conexión, el mundo simplemente es como es, y la aceptación de todo lo que sucede es la que brinda esa sensación de paz y alegría, que es independiente de lo que ocurra en nuestra vida.

Esta alegría interior tampoco debe confundirse con la euforia provocada por cualquier situación cotidiana, puesto que esa emoción proviene de lo que sucede en el mundo exterior, y no de la dicha que brota del interior. La euforia, aunque parezca positiva, no deja de ser una emoción intensa, que como cualquier estado emocional tiene su contrapartida: una vez que la euforia desaparece, podemos sentirnos vacíos. Por lo demás, la euforia suele estar reñida con la paz de la que hablo, puesto que con frecuencia nos quita el sueño, y nos hace pensar en el futuro, alejándonos del momento presente en el que sólo puede experimentarse la conexión con el ser.

6) La aceptación absoluta de todo lo que sucede, basada en la experiencia de perfección a la que me refiero en el punto 1. De esta aceptación, precisamente, proviene el estado de paz que describo.

7) La convicción de que esa paz interior que brinda la conexión está siempre ahí, con independencia de lo que uno haga o de lo que suceda, y que uno puede regresar a ella con sólo detener su mente y/o conectarse con su ser interior del modo descrito (a modo de guía).

8) La irrupción en la mente de reflexiones súbitas, que no son "lógicas" pero que en ese instante de conexión brotan con absoluta claridad, y refuerzan el sentido de la experiencia que uno está teniendo. Estas reflexiones suelen ser conexiones entre aspectos

aparentemente desvinculados entre sí, metáforas, imágenes que representan algo diferente de lo habitual, etc.

En ocasiones pueden aparecer también emociones súbitas de alegría o gozo, e incluso de asombro ante las manifestaciones de vida que ves a diario (un árbol, un pájaro, incluso una planta de interior que tienes en tu casa), pero que en este caso te proporcionan una experiencia mágica, como si estuvieses viendo la vida por vez primera. En estos casos es posible incluso emocionarse hasta el llanto, sin motivo aparente. Es importante que, si te sucede, comprendas que esa emoción es parte de la experiencia, y por lo tanto no la rechaces ni la juzgues, sino que la aceptes tal y como llega y se manifiesta a través de tu cuerpo.

Es importante aclarar que esta emoción es diferente de los estados emocionales ordinarios, ya que no atenta contra la conexión con el ser, sino que de algún modo la refuerza. Por lo demás, no está disparada por pensamientos, como sucede habitualmente con las emociones, sino que es producto directo de la experiencia de conexión; e incluso cuando esa emoción desaparece, el estado de gozo y paz interior siguen presentes.

9) La certeza de que el sufrimiento surge porque esperamos algo diferente de lo que estamos viviendo, es decir, porque nuestros pensamientos contradicen nuestra experiencia actual. Cuando aceptamos completamente la experiencia que estamos teniendo a cada instante, y nos rendimos a lo que es, el sufrimiento desaparece, aunque sea por un instante. Y ese precioso instante nos revela que la posibilidad de extender ese momento de paz está en nuestras manos, y no depende de nada ni de nadie más.

Durante esta experiencia siento que se acaban los comúnmente llamados "problemas". No importa lo que haya sucedido o lo que pueda sucederme: ese instante de conexión es tan intenso y tan dichoso, que lo demás literalmente desaparece (al desaparecer la mente, desaparecen con ella los recuerdos y las conjeturas; desaparecen los miedos, el tiempo, y surge una sensación de confianza en la vida). En este estado puedo seguir pensando, pero sin perder la conexión con mi ser.

10) Durante este estado, y si es que éste se prolonga lo suficiente, aparecen coincidencias, casualidades o "causalidades". Cada uno puede interpretar este hecho como más le guste. Lo cierto es que

numerosos relatos sobre el proceso de despertar espiritual coinciden en este punto. Una explicación habitual (y que suena lógica, aunque el mundo espiritual no es lógico) es que, como somos parte del todo, cuanto más conectados estamos con nuestro ser interior, más estrechamente nos vinculamos con el universo. De este modo nuestros deseos y pensamientos tienen más poder sobre el mundo exterior, y por tanto, lo que imaginamos se hace realidad: aparecen personas en las que habíamos pensado; el mundo nos brinda una oportunidad que estábamos esperando, etc.

11) Cuando la conexión con el ser es intensa, desaparece la ansiedad. Uno ya no quiere estar mentalmente en otro espacio físico o cronológico, mientras su cuerpo está aquí. También desaparece el temor por lo que sucederá en el futuro. Es tan intenso el estado de presencia, que uno simplemente es y está en el lugar actual, sin sentir tensión alguna o deseo alguno de huir mental o físicamente de esa situación. Una vez más, se trata de la plena aceptación del momento actual.

Es notorio ver que el pasado y el futuro están en la mente. Es fácil entenderlo desde la mente misma, pero difícil de experimentar. Yo siempre lo había leído y comprendido intelectualmente. Sin embargo, durante estos momentos de conexión he podido experimentarlo dentro de mi ser.

12) Contrariamente a lo que podría suponerse, al menos en mi caso, mi conexión más profunda con el ser se produce en momentos ordinarios de la vida cotidiana. Frente a mi ordenador, mientras escribo, puedo sentir esa conexión, y fundirme en la experiencia de estar escribiendo sin que nada me perturbe ni nada ni nadie más me haga falta. También experimento una fuerte conexión durante una simple caminata, en especial si la hago en un lugar natural, o que por lo menos cuente con árboles, pájaros y otros elementos de la naturaleza.

En esos momentos, mi experiencia consiste simplemente en observar el mundo y ser testigo de la experiencia que mi cuerpo vive durante la caminata. No hace falta ninguna técnica ni estado particular. Se trata de abrirse a la vida y aceptarla tal como es, sin juzgarla ni esperar que sea de un modo diferente. Creo que esta experiencia es más profunda con los ojos abiertos que con los ojos cerrados porque, como ya dije, la percepción de la luz y de los objetos juega un papel importante durante este estado (al menos en mi caso personal).

13) La experiencia de que el momento de conexión es más intenso que cualquier pensamiento, y que, por lo tanto, los pensamientos sobran o incomodan (a menos que sean necesarios, por ejemplo, para registrar por escrito la experiencia que uno está teniendo). Como expongo más adelante, esta experiencia de conexión es similar a la que se vive con un ser amado, durante la cual las palabras o los pensamientos sobran, e incluso atentan contra la magia de la experiencia misma.

La conexión con el ser interior es la única fuente de felicidad verdadera

A quien tiene una identidad basada en lo que ha estudiado, lo que sabe, lo que posee, etc., puede parecerle absurdo sentarse a meditar, o abandonar su mente por un instante, para conectarse con su verdadero ser. Sin embargo, la idea de que la fama, lo que somos o podremos ser dentro de la sociedad, el poder o el dinero, nos brindarán algo más que esa fama, poder o dinero en sí mismos, es aún más absurda.

Mientras somos pobres o personas anónimas, fantaseamos con que el dinero, el poder o la fama nos harán felices. Cuando logramos algunas de esas metas, advertimos con desilusión que seguimos sintiéndonos igual. Es por eso que muchos famosos caen en episodios de depresión: ven que ya nada les falta, y sin embargo, aún les falta algo: la paz interior.

Por más dinero o bienes acumulados que tengamos, nada nos librará del sufrimiento. Nada. Podemos ilusionarnos con que el dinero nos dará seguridad, para luego descubrir que tememos perder el dinero, o tememos que alguien nos mate o nos secuestre para quitárnoslo. Podemos pensar que la fama nos hará dichosos. Pero la fama no hace más que alimentar el ego. Y el ego siempre pide más, por lo que la popularidad nunca le resulta suficiente....

Amaste y te sentiste feliz. Fuiste amado. Si tu felicidad estaba en ti, a consecuencia de ese amor, ¿adónde fue a parar? ¿Se fue con tu sentimiento? ¿Por qué aún no la conservas? ¿Qué te impide seguir siendo feliz como cuando estabas enamorado de esa persona? Si guardas los recuerdos en tu memoria, ¿por qué no vuelves a ser feliz al evocarlos?

La gente que habla de un mundo espiritual, por lo general no habla de Dios; a menos, claro, que se trate particularmente de gente religiosa. Estas personas ya no necesitan a Dios. Se necesita a Dios cuando te falta algo, cuando debes confiar en que una fuerza o un orden superiores ordenarán tu vida. Cuando aceptas que no hay nada que ordenar, ni nada que buscar, ni nada que pedir, la búsqueda de Dios desaparece, o quizá esa completa aceptación nos brinde una comprensión súbita de lo que entendemos por Dios.

Dios es un concepto, una idea, el resultado de un dogma. Si aceptas que la liberación consiste precisamente en librarse de los conceptos, el camino espiritual te llevará a abandonar la idea de Dios. Si sigues aferrado a algo, incluso a Dios, esa amarra te impedirá navegar por el mar de la conciencia, donde residen la paz y la dicha.

Cuando le pides algo a Dios, estás pensando en el futuro, esperando que algo te sea concedido. Dependes de Dios. Cuando le agradeces a Dios o le pides perdón, estás pensando en el pasado, en algo que ahora sólo está en tu mente en forma de recuerdo. Si el pasado ya desapareció, ¿para qué necesitas de Dios? Y si no necesitas nada más para ser feliz, ¿qué sentido tiene hablarle a Dios del futuro?

Si crees que necesitas del otro para ser feliz, nunca serás feliz. Nadie puede darte la felicidad. La felicidad no se quita ni se da. No aparece y desaparece. En cierto sentido, siempre existe. Es sólo que la desdicha, el sufrimiento y el temor que tú mismo generas, te impiden acceder a la felicidad. Pero ella sigue ahí, oculta, viva... La felicidad es la existencia misma. Suprime los recuerdos, los miedos, la creencia de que todo debería ser diferente, y felicidad brotará dentro de ti como por arte de magia.

Por lo demás, ¿qué es la felicidad? La gente dice: Quiero formar una familia, para ser feliz. Fulano me hará feliz. Sería feliz si pudiera viajar. Pero ¿qué es para ti la felicidad? ¿Qué te daría ese viaje, o esa familia que anhelas, que hoy no tienes? ¿Necesitas un viaje para tener eso que te hará feliz? Las palabras a menudo están vacías de contenido. Usamos lugares comunes, sin preguntarnos siquiera qué significan. No distinguimos las experiencias de las palabras que las representan…

Mucha gente sabe lo que quiere. Pero ignora para qué lo quiere. ¿Qué esperas conseguir con tu nuevo hogar, o con tu nuevo coche? ¿Estás seguro de que buscas el coche sólo para moverte más rápido, o esperas de él algo más? Investiga cuidadosamente estos aspectos. No caigas en la trampa de la ilusión.

Lo que anhelas, nunca llegará. Mejor dicho: nunca llegará en la forma en que lo esperas. Si esperas que el amor te traiga felicidad, no tendrás amor en la forma en que lo esperas. Sólo tendrás la decepción de ver que el amor no te brinda la felicidad esperada. Y volverás a buscarla en otro amor, en otro objeto, en otro camino. Anhelarás otro bien u otra relación, y te perderás la vida hasta que eso llegue. Y cuando llegue, seguirás preso de la desdicha y por tanto seguirás anhelando, mirando hacia delante en lugar de ver el camino que recorres ahora.

La dicha no depende de lo que sucede, sino de quien eres cuando todo sucede.

¿Qué significa disfrutar? Puedes ir a un recital de música, y disfrutarlo. Sin embargo, antes tendrás que hacer una fila para entrar al estadio o al teatro, luego tendrás que esperar para abandonar el recinto, y por último tendrás que viajar hasta tu casa. Al cabo de unas horas, el recital habrá acabado, y tu vida volverá a la rutina habitual. Podrás ver fotos, o recordar esa experiencia a través de una canción. Pero nada hará que vuelvas a vivir lo mismo: esa experiencia ya pasó; pertenece al pasado.

El tiempo que duró el recital es mínimo comparado con el tiempo que utilizas para trabajar, o para hacer todo aquello que no te gusta, o que te agrada pero no te permite sentirte completamente dichoso. Has hecho un gran esfuerzo para vivir esas dos horas de recital. Y luego has regresado a tu vida "rutinaria", por decirlo de algún modo.

Si en tu vida los momentos especiales, como los del recital, son escasos, y sólo disfrutas de esos eventos diferentes, ¿qué sucede con el resto de tu existencia? ¿Sientes que sólo vives de verdad, intensamente, cuando en el mundo exterior sucede algo extraordinario como ese recital?

Si dependes de momentos especiales para que tu vida sea especial, tendrás que vivir a saltos, organizando eventos fuera de lo común, viajando, buscando experiencias nuevas todos los días. Hasta cierto punto esto puede ser excitante, pero convengamos en que la mayoría de las personas no vive así: tiene una cierta rutina, y tenerla no implica que su vida sea desdichada…

Si pudieras disfrutar de la vida, del simple hecho de estar vivo y de sentir una conexión con el resto del universo, ¿necesitarías momentos especiales?

¿Cuántos momentos especiales y excitantes puedes tener a diario? ¿Has experimentado la desazón que produce regresar de una fiesta que has anhelado durante días? En la fiesta todo resulta maravilloso. Pero cuando el evento termina, la vida vuelve a tornarse habitual. Y si te empecinas en comparar la fiesta con tu vida, creerás que el único modo de ser feliz es vivir de fiesta en fiesta, algo muy difícil de lograr (a menos que te dediques a organizar eventos de esa naturaleza).

La vida es una fiesta, pero tú no lo sabes porque estás esperando la llegada de "la fiesta" que organizarán tus amigos, tus parientes o el club al que asistes regularmente. Por fin, la ansiada fiesta llega. Y luego acaba. Y cuando ese evento acaba, sientes la nostalgia de saber que ese momento ya no volverá. Vas con tu mente del pasado al futuro. Estás en cualquier parte menos aquí, en la vida que discurre silenciosa, en esa vida que, como dijo John Lennon, es lo que te sucede mientras tú estás ocupado haciendo otros planes. Y esos planes hacen que te pierdas la verdadera fiesta: el milagro de los árboles que se alimentan de la tierra y del sol; el misterio del vuelo de las mariposas; la belleza distante de las estrellas; el prodigio del ave que se eleva gracias a las corrientes de aire…

Si puedes estar verdaderamente presente, inmerso en el momento atemporal en que todo sucede, no importará lo que hagas y no necesitarás de momentos especiales. Tu vida será especial pero no por lo que haces, sino por cómo lo vives.

Si la felicidad depende de lo que sucede, nunca podrás acceder a ella, puesto que no puedes controlar lo que ocurre en el mundo. Por lo demás, la felicidad se suele asociar a un estado de alegría, euforia o emociones similares. Con frecuencia esas emociones pueden tener consecuencias negativas, como lo prueba el hecho de que, ante un suceso afortunado como el de ganar la lotería, algunas personas no pueden estar en paz ni conciliar el sueño. ¿Puede considerarse "positivo" un hecho que me priva del sueño, o que me provoca una emoción tan intensa que mi cuerpo no está en paz?

Alguien podrá argumentar: ¿qué importa no dormir por varios días, si acabo de ganar una cantidad de dinero que me permitirá vivir sin trabajar durante años? Visto así, el razonamiento es sensato. Sin embargo, como en mi análisis le resto importancia a los eventos externos y me centro en lo que tú experimentas en tu interior, lo único que veo es que no estás en paz. Es más: puedo ir aun más lejos en mi análisis, y preguntarte: si ya sabes que podrás vivir varios años sin necesidad de trabajar; si ya tienes esa seguridad económica que hasta ahora te faltaba, ¿por qué no estás en paz? Antes te quitaba el sueño la inseguridad. ¿Es ahora la seguridad la que te ha robado el descanso?

Culturalmente parece que estas situaciones son positivas. Un hombre puede creerse feliz porque tuvo un romance con una joven veinte años menor que él. Podemos hablar de excitación, de placer, de felicidad incluso. Pero de una felicidad breve, pasajera, que se extingue fácilmente, y nos fuerza a buscar nuevos hechos que constituyan una fuente de "felicidad". Ese comportamiento nos pone a merced de lo que sucede en el mundo, o de lo que conseguimos. Y como no podemos controlar el mundo, y todo lo que sucede tarde o temprano llega a su fin, la ansiada felicidad representa la zanahoria tras la cual corre el burro, sin alcanzarla nunca.

Vistas desde esta perspectiva, la felicidad y la infelicidad son el anverso y reverso de la misma moneda. Los sucesos extraordinarios son breves y escasos, y el contraste entre éstos y la vida ordinaria es más notorio cuanto más extraordinario nos parezca lo que nos provoca felicidad. Por lo tanto, cuanto más felicidad nos provoque un hecho, más infelicidad nos traerá la culminación de dicho evento, y más nos sumergiremos en el proceso de buscar sucesos nuevos y excitantes.

El placer y el dolor también son el anverso y reverso de una misma moneda. Cuando el placer representa una forma de evasión del tedio cotidiano, como sucede con el alcohol o el sexo, la culminación del efecto de la bebida o del acto sexual nos recuerda lo doloroso de nuestra vida cotidiana. Sin embargo, como ese dolor o esa sensación de vacío están producidos por la mente, y por tanto no tienen entidad propia, no hay nada de malo en ellos. Sumérgete en el dolor, en el vacío o en el tedio. No juzgues esa situación. No esperes nada diferente. No busques nada especial. Limítate a ser, a estar vivo. Y ve qué sucede.

La paz interior, en cambio, no depende de lo que sucede, sino del modo en que cada uno vive. Depende de uno mismo, y no del mundo exterior. Puede provocarme dolor la muerte de un familiar cercano. Sin embargo, si acepto cabalmente esa muerte, atravesaré el dolor y alcanzaré la paz. Si me veo favorecido por un suceso extraordinario, como por ejemplo recibir una herencia millonaria, aceptaré ese hecho, y también alcanzaré la paz. En conclusión, podré estar en paz con independencia de lo que suceda en el mundo, puesto que esa paz estará en mí, y no provendrá de afuera.

Ante este planteamiento, mucha gente confunde el estado de paz, independiente de los sucesos externos, con el aburrimiento, la apatía o el desinterés por todo. Se han vapuleado demasiado algunos términos como el desapego, utilizado con frecuencia para denotar un comportamiento en el cual nada puede afectar a una persona. Y algunos suponen, por lo tanto, que una conducta basada en el desapego implica convertirse en una persona indiferente, fría, a la que todo le da lo mismo.

Debido a la generalización de términos como el apego, desapego y otros, prefiero obviar su uso. No creo que haga falta medir cuán desapegada está una persona, ni asimilar este desapego a un carácter frío o indiferente. Considero más claro decir simplemente que la paz que alguien consigue conectándose con su ser interior, lo aleja de los vaivenes emocionales provocados por la búsqueda del mundo exterior como fuente de felicidad.

Hay muchos motivos para alegrarse a diario. Sin embargo, lo que te pondrá contento son tus pensamientos sobre lo que sucede. Y esos pensamientos pueden cambiar de un día a otro, incluso sobre una misma situación. Tu juicio de que estar con determinada persona es una experiencia maravillosa, puede modificarse si esa misma persona acaba por aburrirte, o mañana no cumple con tus expectativas. Lo que estabiliza tu estado interior es la experiencia de paz que consigues a través de la conexión con tu ser, es decir, de ti mismo. Esa paz interna es constante, y no está sujeta a los vaivenes del pensamiento, que interpreta lo que sucede en el mundo exterior.

Por lo demás, el aburrimiento y la apatía, por ejemplo, no tienen nada en común con el estado de paz que describo. De hecho, estar aburrido o adoptar una actitud apática ante la vida impiden alcanzar un estado de paz, puesto que estas formas de ver el mundo se basan en el rechazo de lo que sucede. Y la paz sólo puede conseguirse con una aceptación plena de lo que acontece, tanto externa como internamente.

Quizá esta descripción no te satisfaga, y pienses que no deseas estar en paz, sino alcanzar la ansiada felicidad: experimentar emociones intensas; saltar de alegría; amar con locura… Si piensas así, es simplemente porque no has experimentado la paz de la que hablo. Sólo tienes una etiqueta mental de lo que entiendes por paz, y crees que puede haber algo mejor que ese estado. Pero nunca la has percibido en ti mismo. Si lo hubieras hecho, comprenderías que de esa paz emana también una sensación de gozo inexplicable. Y sabrías entonces que no necesitas nada más: es más valioso lo que ya tienes, y no ves, que aquello que anhelas desesperadamente. Y digo que lo tienes porque está dentro de ti: lo único que debes hacer es permitir que se manifieste.

De cualquier manera, como ya he señalado en otras partes del libro, las distinciones lingüísticas como "paz", "felicidad" y otras, sólo son términos que dan una idea de aquello a lo que me refiero. Pero no pueden sustituir a la experiencia en sí misma, y además representan situaciones diferentes para cada persona.

Lo único real es la experiencia. Cuando piensas, lo real es la experiencia de estar pensando; lo irreal o imaginario son los pensamientos (que desaparecen o cambian constantemente). Esa experiencia, a diferencia de los pensamientos que podemos juzgar positivos o negativos, no es buena o mala en sí misma. La experiencia de pensar simplemente es como es.

Las palabras son invenciones, símbolos creados por el hombre. Representan objetos o situaciones, pero son diferentes de la experiencia en sí misma. Señalan hacia ella, pero no la alcanzan. Por eso es difícil describir con palabras las experiencias de las que hablo, y es tan importante sentir en lugar de pensar (puesto que el único modo de pensar es utilizar el lenguaje, es decir, recurrir nuevamente a las palabras).

Las emociones, en cambio, son reales: están en tu cuerpo; forman parte de la experiencia que estás teniendo. Cuando desaparece o cambia la invención (las creencias o pensamientos formados por palabras), las emociones desaparecen. Esto sucede, por ejemplo, durante el estado de conexión con tu ser interior: tus pensamientos negativos pierden poder sobre ti mismo y dejan de provocar emociones cambiantes. Por eso, cuanto más profunda sea tu experiencia (más consciente estés y más anclado en tu cuerpo), menos sujeto estarás al vaivén de las emociones, tanto positivas como negativas.

Cuando la experiencia representa la unión con el todo, las emociones desaparecen; sólo queda un estado de gozo y paz que no depende de lo que sucede en el mundo exterior, sino que brota de tu interior gracias a la conexión que estás teniendo.

¿Quién eres en este instante? ¿Cómo te sientes? ¿Qué experiencia estás teniendo? No puedes "ser" si no estás aquí. Si no estás presente, no estás siendo; estás pensando. Y si estás pensando, te evades de la vida. Cuando haces algo pensando en el resultado, estás enfocado en el futuro, y estás perdiéndote el presente. Cuando haces algo añorando el pasado y pensando en recuperar algo perdido, también te pierdes el ahora. Experimentas una emoción de tristeza, de pérdida; sientes nostalgia de lo que ya se ha ido… Si piensas, no disfrutas. ¿Cómo vas a disfrutar una experiencia si sólo estás pensando? Comprende que esos pensamientos se refieren en general al pasado o al futuro, y no al instante actual.

Recuerda alguna experiencia gratificante, y verás que estabas tan inmerso en ella que nada más importaba. Esa experiencia gratificante estaba en el cuerpo, no en tus pensamientos. Podrás exclamar: ¡Qué hermosa sensación! Pero reflexionas así porque tu cuerpo te provee de una experiencia que te lleva a pensar. El juicio siempre es posterior: surge tras la experiencia. Aparece a consecuencia de ella. No es la experiencia en sí misma. Y lo que te gratifica es la experiencia, no el pensamiento. Si puedes diferenciar ambas situaciones, estarás en condiciones de sumergirte en el reino de la experiencia, y por tanto, de la dicha.

Conectarse con el ser interior implica experimentar la vida a cada instante

¿Por qué un seísmo, que a veces dura sólo tres segundos, nos parece eterno? Porque en ese momento estamos conscientes. Estamos tan alertas, que el resto del mundo desaparece por un instante: es tan intensa la sensación, que nada más importa. En ese momento estás completamente consciente de ti mismo. Nada más tiene peso. No hay pensamientos. Eres uno con tu ser interior, con la vida que bulle en ti; y también con el todo del que formas parte.

En realidad, en el momento del seísmo no sientes temor. Durante el seísmo, no experimentas emociones, ni tienes pensamientos: sólo un intenso estado de presencia, que podríamos definir como la conciencia de estar vivo. Se trata de un estado de alerta en el que cada segundo parece una hora. La emoción del temor aparece luego, cuando el terremoto ya acabó, y todo vuelve a la normalidad, es entonces cuando adviertes que el miedo se ha apoderado de tu cuerpo.

La emoción de miedo podría traducirse lingüísticamente como el juicio de que es inminente la pérdida de algo valioso para ti: puede ser tu casa, tu vida, o lo que sea. Por eso surge cuando la situación se normaliza: porque el juicio o la interpretación es posterior al hecho, es decir, necesitas que se produzca el seísmo para poder interpretarlo. Y luego del sismo, adviertes que podrías haber muerto, o que tu casa podría haberse derrumbado.

Supongamos que esa sensación de intensidad, provocada por el terremoto mientras éste tiene lugar, pudiera prolongarse, no ya con una emoción de miedo (que naturalmente surgiría si este durara varios minutos), sino en un estado de paz interior. Imagina que, en ese estado, al igual que durante el seísmo, nada más existe. De tu mente ha desaparecido absolutamente todo… Si pudieras experimentar dicha en lugar de temor, ¿Imaginas cómo sería vivir en ese estado de plenitud y de gracia? ¿Te preguntas cómo puede alcanzarse?

Dado que se habla mucho sobre el nirvana, la iluminación y otros términos similares, creo que este ejemplo del terremoto (o de otros fenómenos que nos provocan un estado similar), puede dar una idea acerca de lo que esas palabras significan. Lo que se conoce como iluminación es despertar a quien tú ya eres. Eres conciencia pura, oculta debajo de emociones y pensamientos constantes. Por eso la inminencia de una catástrofe te brinda una idea aproximada de lo que representa la iluminación: durante ese evento, los pensamientos cesan, y tú te vuelves uno con el todo. El desafío es lograrlo sin necesidad de eventos externos que lo disparen, sino simplemente como respuesta a tu estado interior. Cuanto más consciente te vuelves y más centrado estás en el momento atemporal en que discurre la vida, más cerca estás de la iluminación. Iluminarse es despojarse de todo. Es desnudarse. Es ver el mundo desde adentro, sin juzgarlo ni pretender que sea diferente de lo que es. Es una experiencia de aceptación absoluta.

Cuanta más información hay disponible en el mundo, menos capacidad tenemos de procesarla. El stress actual se debe en parte al hecho de que no podemos procesar toda la información disponible, ni hacer ni tener todo lo que el mundo nos ofrece. Internet ha contribuido a que la información disponible sea virtualmente infinita. Y como esa infinitud contrasta con el escaso tiempo libre de que disponemos, se produce una tensión. Debemos elegir en qué centrar nuestro foco de atención. Con miles de páginas web a nuestra disposición, y varios vínculos dentro de cada una de ellas, es difícil decidir qué leer, qué buscar, a quién contactar. Esta situación contribuye a dispersar nuestra atención, y una atención dispersa es enemiga de cualquier técnica destinada a conectarnos con nuestra conciencia, como la meditación u otras.

En nuestro intento por procesar la información disponible, nos desconectamos de nosotros mismos, y caemos en la ilusión de que más información (sobre nuestra salud, nuestros deseos, sobre un nuevo trabajo, una nueva tecnología, etc.) nos salvará de ese estado de desconexión. En realidad, como resulta obvio, para recuperar la conexión con nuestro ser interior es imprescindible hacer lo contrario: dejar de recibir información del mundo exterior, y escucharnos a nosotros mismos; prestarle atención a nuestra respiración, a nuestro cuerpo; observar nuestros patrones de pensamiento.

Puedes volverte más consciente observando el vuelo de un insecto, o puedes necesitar un terremoto. Si estás abierto a dejar de lado tus juicios y a centrarte en el momento atemporal en que la vida discurre, no necesitarás nada para volverte más consciente. Si te resistes a la vida y quieres controlar el mundo con tus pensamientos, necesitarás de experiencias dolorosas para lograr un mayor nivel de conciencia y una conexión con tu ser. Y si rechazas mentalmente esas experiencias dolorosas, lo único que cosecharás será más sufrimiento.

¿Cómo te conectas? Siente la respiración. El aire que respiramos es el mismo que respiran los animales y las plantas. Somos parte de la vida, pero creemos tener una identidad propia, basada en los recuerdos, los objetos, las opiniones, las ideas… Siente, en lugar de pensar. Mira hacia adentro por un instante. No busques nada. No pienses en nada. Sólo siente. Siente la respiración. Siente el aire que entra y sale. Siente tu cuerpo. Siente tus piernas. Siente el sol sobre tu piel. Advierte el movimiento de tus ojos. Ve que eres capaz de mover tu cuerpo a voluntad. Eso es la vida. La vida es lo que anima tu cuerpo. Es la corriente que mueve tu cuerpo y te brinda conciencia, como la electricidad activa tu horno microondas. La vida es lo que corre a través de ti, eterna, atemporal, misteriosa.

Toda búsqueda de felicidad es estéril

Nada de lo que te hace feliz te puede ser quitado. Nada. Por lo tanto, nada de lo que te hace feliz puede ser comprado (ya que cualquier objeto comprado, te puede ser quitado). Si la felicidad depende de una persona, objeto o situación, no es verdadera felicidad. No me creas; compruébalo tú mismo. Recuerda cuando compraste tu casa. Te sentías feliz. ¿Sigues sintiendo la misma felicidad el día de hoy? Si no la sientes, ¿adónde fue a parar? Si era felicidad, ¿por qué no sigue contigo?

Crees que el otro, o lo otro, te harán feliz. Pero es una ilusión. El budismo le llama a eso el sufrimiento del cambio. ¿Recuerdas el último cambio (de coche, de pareja)? Te sentías dichoso, ¿no es así? ¡Creías ser feliz! Sin embargo, aquí estás de nuevo, buscando otro cambio, que supuestamente sí te hará feliz. Pero si el cambio te hiciera feliz, seguirías siendo feliz en todo momento. Y no lo eres. ¿Hasta cuándo seguirás engañándote? ¿Hasta cuándo seguirás buscando?

Nada te hará feliz. Nada. Nadie te hará feliz. Observa tu envidia, tu rencor. Crees que si tuvieras lo que el otro tiene, serías feliz. Pero es una ilusión. El otro es otro, y tú eres tú. ¿Sabes si el otro es feliz? No lo sabes. ¿Cómo puedes saber entonces que serás feliz teniendo lo que el otro tiene? Y si el otro fuese feliz... ¿sabes que es feliz porque tiene eso que a ti te falta? Aunque él te dijera que es así, ¿tienes la absoluta certeza de que eso te hará feliz? ¿Estás tan seguro como para que valga la pena gastar energía en envidiar lo que el otro tiene, y codiciarlo?

Sucede con las personas. Ves una persona que te gusta, y envidias a su pareja. Sin embargo, ¿sabes si serías feliz con ella? ¿Cómo puedes saberlo? Y si no lo sabes, ¿qué esperas obtener cuando tengas a esa mujer u hombre a tu lado? ¿La envidia de los demás, como tú mismo envidias ahora a esa persona? ¿Esa envidia de los demás te hará feliz a ti? ¿Tu envidia actual hace feliz a la pareja de la persona que codicias?

Si estás pensando en mudarte porque no eres feliz donde vives, estás engañándote nuevamente. El lugar en que vives no es la fuente de tu desdicha. ¿Cómo lo sabes, si no sabes dónde vivo?, te preguntarás. Yo experimenté la misma sensación durante años. Pensaba que lo mejor estaba en otra parte. Viajé a otros países, e hice todo lo posible por vivir ahí. Lo que no tuve en cuenta, sin embargo, es que llevaba mi vida conmigo. Y por tanto, el cambio no servía de nada. El problema no era el lugar; era yo mismo.

¿Cómo saberlo? Es simple. Si no eres feliz aquí, tampoco lo serás allá. Volvemos a lo mismo. Podrás tener una sensación de felicidad, pero será sólo eso, una sensación. Por tanto, será efímera. No será verdadera felicidad.

La gente busca un amor que le de sentido a su vida. Creen que sólo valen si son amados por alguien. Se sienten mejor cuando alguien les declara su amor. Si has encontrado al amor de tu vida, y aun así sientes que te falta algo más para ser feliz, no busques la felicidad en tu pareja. Disfruta de ella si te sientes bien. Pero el descubrimiento de la dicha, de la paz interior, es un camino que debes emprender tú mismo, buceando en tu interior. Si decides emprender esta exploración interior, es posible que no sólo no encuentres felicidad en tu pareja, sino que ella sea un impedimento en tu camino.

Si ambos estáis en el mismo camino interior, es importante que indaguéis dentro de vosotros mismos, y no en el otro.

Todo lo que necesitas está dentro de ti. Pero es tan simple, tan tonto, tan absurdo, que la mente no puede comprenderlo. Por eso necesita algo más. Necesita de un consejo, de una herramienta, de una palabra, de algo que vendrá de afuera. Si no fuese así, ¿qué sentido tendría vivir?, te preguntarás. Si ya tengo todo, ¿a qué he venido al mundo? Si afuera no hay nada, ¿qué sentido tiene el afuera? ¿Para qué están los demás? ¿Por qué todo el mundo corre como loco hacia alguna parte? ¡Están todos buscando algo! ¿Por qué yo no habría de buscar también?

¿Qué te falta en este preciso instante para ser feliz? ¿Por qué no puedes serlo ahora mismo? Me dirás que necesitas dinero. Está bien. Sin embargo, no necesitas dinero para leer estas líneas. Me refiero a este instante de tu vida. ¿Eres feliz leyendo? Si te aburre este libro, busca otro. Busca un poema que te guste, y sé honesto contigo mismo. ¿Eres feliz leyéndolo? No importa lo que suceda luego. No importa que dentro de una hora vengan a buscarte para encarcelarte de por vida. Si puedes aislarte de todo lo demás, de todo lo que ilusoriamente crees que necesitas, no podrás experimentar otra cosa que la dicha de estar presente, de estar con vida. Y no importa si estás leyendo el mejor poema del mundo, o no.

Prueba con otra experiencia. Siéntate a contemplar la naturaleza. Y pregúntate: ¿Qué necesitas realmente en este momento? No hablo de lo que harás o sucederá dentro de cinco minutos. Y si ves, al menos racionalmente, que en este preciso instante no necesitas nada más, ¿por qué habrías de necesitarlo dentro de cinco minutos? En cinco minutos verás lo que necesitas en otros cinco minutos, o dentro de una hora, pero no en ese mismo momento. Porque en ese único y maravilloso instante, como verás, no necesitas nada. Y sin embargo, puede que no consigas atisbar la felicidad, y no lo logres a pesar de comprender que, a cada instante, no necesitas nada más: ya tienes todo lo necesario para alcanzar la dicha.

Percibe la felicidad, la dicha, la paz; como quieras llamarle. Experiméntala aunque sea por un instante. No importa lo breve que sea la experiencia. Comprueba que ella es posible, y que está dentro de ti. La hallarás cuando no estés buscándola. La sentirás cuando no estés pensando, ni presa de tus emociones. Darás con ella cuando te liberes de toda búsqueda, y cuando simplemente experimentes el milagro de la vida sin esperar nada más.

Tú no tienes vida: eres la vida

Siente la vida... No tienes vida: eres la vida. Eres parte de la vida. Eres parte del universo. Si te sientes solo, no es que te falte alguien o algo, sino que tú le faltas al universo: no estás conectado con el todo. Cuanto más busques afuera, más solo te sentirás. Cuanto más te conectes con ti mismo, más unido al todo estarás. Parece una paradoja, y en cierto sentido lo es.

Si tienes vida, tienes algo. Y si tienes algo, puedes perderlo. Si eres la vida, en cambio, siempre serás la vida.

Creemos que para estar mejor necesitamos tener, en lugar de ser. Y no sólo en el campo material, sino también en el de los sentimientos. Necesitamos tener amigos. Tener una pareja. Tener quien nos quiera. Y no nos preguntamos quién somos, ni en qué medida somos nosotros mismos.

¿Qué le agregan tus títulos, tus riquezas, tu prestigio, a tu ser interior? Tus conocimientos, tus experiencias... están en la memoria, en la mente. Están en algún papel que guardas en un cajón. Pero eso no significa nada. El hecho de que centenares de personas sepan qué haces, y te reconozcan, no garantiza ninguna conexión entre esa experiencia y tu ser interior. De hecho, si perdieras la memoria súbitamente, esa información desaparecería de tu mente. La gente te llamaría por tu título, alabaría tus trabajos... Y tú no sabrías de quién están hablando, o pensarías que se están burlando de ti. Sin embargo, seguirías siendo el mismo. Nada en tu interior habría cambiado. Sólo ocurriría que tu mente se ha vaciado de los conocimientos adquiridos hasta ese momento. Pero la mente no existe: es sólo un conjunto de pensamientos, de recuerdos, que no tienen sustancia alguna. Crees "ser" eso que aprendiste; crees ser la persona cuyo nombre aparece en tu diploma... Pero no es más que una ilusión, como lo es la idea de que el árbol "es" verde, o que el amor viene de afuera.

Si te despojaras de tus títulos, tus bienes, tus recuerdos... ¿Quién serías? No lo sabes. Quizá esta alternativa te atemorice. Tal vez esta opción te brinde la sensación de que perder todo esto te hará perder también la identidad que posees, es decir, quien eres. Sin embargo, es todo lo contrario. Cuanto más te despojes de todo, más serás quien verdaderamente eres…

Te daré un ejemplo sobre la naturaleza. Tú sabes qué es un colibrí. Lo ves, y lo reconoces como tal. Él no sabe que lo llamas colibrí: se limita a ser lo que es. Ahora bien. Es colibrí porque, alguna vez, un científico lo descubrió como ave, y lo clasificó luego con ese nombre. Pero antes de que el colibrí entrara en el mundo del conocimiento, en el reino de la ciencia, ¿qué era? ¿Puedes imaginarte esa situación? Si un científico decidiera cambiarle el nombre, ¿acaso ese pájaro cambiaría? ¿Tendría ese cambio de nombre alguna repercusión en ese ser de vuelo asombroso? ¿Cambiarían sus colores junto con su nombre?

¿Quién eres? ¿Qué parte de tu ser ha permanecido invariable desde tu nacimiento, y seguirá igual cuando mueras? No eres tu cerebro, ni eres tu corazón. Tu corazón comienza a latir misteriosamente cuando estás en el seno de tu madre. Tú no eres quien eres gracias a que tu corazón late: tu corazón late gracias a lo que tú eres. Tu ser anima tu cuerpo. No tienes vida: eres la vida encarnada en un cuerpo. Eres un ser eterno habitando un cuerpo transitorio.

Contempla una foto de cuando eras niño. Luego mírate al espejo, y dime. ¿Eres el mismo? Si tu identidad está determinada por quien eres hoy, ¿quién eras antes de tener un año de edad? ¿Una persona diferente? Debe haber algún hilo conductor entre el momento en que naciste, y tu vida actual. De lo contrario, si tu identidad dependiera de tu aspecto físico o de tu conocimiento, hoy no serías el mismo que hace diez años: serías otra persona, puesto que has cambiado físicamente, y tus conocimientos sobre el mundo también han cambiado. Y si fueras una persona distinta en cada etapa de tu vida, no tendría sentido que dijeras "yo hice" esto o aquello hace diez años, ya que en definitiva aquel del pasado no era quien "eres" hoy.

Los recuerdos son ilusorios. Están en tu mente, pero no son la vida. ¿Cómo podrían serlo, si la vida sólo es lo que experimentas mientras lees estás líneas? Lo que piensas, lo que recuerdas, ya pasó. Ya no está aquí. Ya no existe. Si te apartas de lo que experimentas ahora, te apartas de la vida.

La vida es pura experiencia. Por eso el contacto con la naturaleza nos conecta con la vida. Allí no hay referencias temporales, ni espaciales. No hay pasado ni futuro. Los seres que habitan el bosque no piensan. La vida es, en la naturaleza, una experiencia eterna. Tú puedes consultar tu reloj para ver la hora. Pero eso no cambia la eternidad que reina en el bosque. Depende de ti conectarte con esa eternidad, o seguir pendiente de tu reloj.

Lo que el silencio te inspira depende del grado de conexión con tu ser

Nuestra cultura ha desterrado el silencio de la vida de las personas. La gente ha ido habituándose tanto a tener la radio, el equipo de música o el televisor encendidos en la casa, que resulta extraño entrar en un hogar y experimentar el silencio. El bullicio de los niños también hace que sus padres se acostumbren a oír voces y ruidos de forma permanente. Los niños, por su parte, crecen y reclaman televisión, música, juegos, u otros sonidos a través de Internet. Las calles de las ciudades también están colmadas de ruido. Y el silencio se transforma así en un fenómeno extraño, que cuando sucede, incomoda a las personas poco habituadas a él.

El silencio puede asociarse a la soledad, o a la paz interior. Algunas personas, que no pueden estar solas, tampoco pueden estar en silencio. Necesitan la compañía del televisor o la radio encendidos todo el tiempo, o la presencia de otra persona, aunque no se trate de la mejor compañía. El silencio los sumerge en la tristeza, en la soledad. En realidad, el responsable no es el silencio, sino sus propias emociones, que se potencian ante la falta de sonidos que les permitan evadirse del vacío de sus vidas.

Lo que el silencio inspira en cada persona no está en el silencio mismo, sino en esa persona. La soledad o tristeza inspiradas a veces por el silencio son producto de la interpretación que mi mente hace del silencio: que me falta algo, que todo podría ser como lo fue en mis años pasados, que si tuviera compañía no me sentiría solo, etc.

Experimentar el silencio sin juzgarlo, sin asociarlo con ninguna situación pasada o futura, nos lleva a encontrar la paz. Hay personas que darían su vida por tener un momento de puro silencio en sus ajetreadas vidas. Sin embargo, cuando lo tienen, advierten que el silencio les resulta incómodo, pues no están acostumbrados a él. Otros, en cambio, no son capaces siquiera de imaginar un minuto sin la compañía de una voz o una música de fondo.

Ya que hablamos de música, y de silencio, es importante advertir que una melodía no sería posible sin silencios entre las notas musicales, del mismo modo en que resulta imposible distinguir una palabra pronunciada de otra, si no media entre ellas un espacio mudo, o un espacio en blanco entre palabra y palabra en un texto escrito. De hecho, son esos espacios mudos, o en blanco entre las palabras, los que le confieren sentido a lo que uno lee o dice.

Cuando el silencio nos inspira tristeza o una sensación de vacío o soledad, podemos volvernos conscientes de esa emoción o sensación, como medio para adentrarnos en nuestro ser. Así, la aceptación de ese estado interno se convierte en el camino hacia la paz interior.

Si en medio del silencio puedes encontrar la paz y descubrir que no necesitas nada más para alcanzar el equilibrio, habrás reconocido un signo de aceptación del mundo tal como es, y de fusión con el momento presente.

En la naturaleza, el silencio es un estado habitual, roto sólo por el sonido del viento en el follaje, el del agua que corre o cae, y por el canto de los pájaros, entre otros fenómenos. Comprender que la vida misma es silencio, como sucede en tu propio cuerpo con los procesos biológicos, que se producen sin sonido alguno, contribuye a vislumbrar que el verdadero ser que habita en cada uno de nosotros puede conocerse cuando cerramos la boca, y abrimos el corazón al instante en que ese corazón late. Experimentar el silencio es experimentar la vida. Callar es escuchar al silencio, que muchas veces tiene más para decir que cualquier palabra.

El mundo exterior es el espejo en que puedes verte a ti mismo

Los demás son el espejo en que puedes mirarte. Nadie está para hacerte más feliz; todos están para que te mires en ellos, para que te vuelvas más consciente de ti mismo. ¿Cómo sabrás el odio que puedes provocar en otra persona, si no tienes enfrente a alguien que se enoje contigo?

El mundo exterior te ha sido dado para que descubras tu mundo interior. El único modo de mirarte por dentro es descubrir que no necesitas el afuera, o que ese afuera te incomoda o te molesta. Si la opinión ajena te perturba, significa que no la aceptas, o que crees que esa opinión tiene algo que ver con quien tú eres. Cuando alguien habla de ti, en realidad está hablando de sí mismo: está diciendo lo que él o ella opinan de ti. Si comprendes que sólo se trata de una opinión, y de una opinión sobre lo que alcanzan a ver de ti (no lo que en verdad eres), ese juicio carecerá de importancia. Si por el contrario la crítica ajena te provoca emociones negativas, dale la bienvenida a quien te juzga, pues está abriéndote una puerta para que te mires por dentro.

También necesitas el mundo exterior como punto de partida hacia tu reino interior. Necesitas del mundo exterior para descubrir la ilusión que él entraña. ¿Cómo podrías saber que un objeto nuevo no puede hacerte feliz? Necesitas comprarlo, creerte feliz, dejarlo de lado e ir en busca de otro. Necesitas hacer lo mismo con las personas. Sin este mundo exterior no podríamos tener experiencias humanas, desilusionarnos, y comprender cabalmente qué necesitamos y de qué podemos prescindir.

Y entonces, ¿qué?, te preguntarás. Si no necesito nada más; si todo es ilusorio, ¿qué sentido tiene la vida?

Me dirás que, si quieres seguir con vida, tienes que trabajar. Necesitas alimentar a tu familia. Quieres estudiar para progresar. Deseas encontrar un nuevo amor. Está bien. No estoy diciendo que, como no te hace falta nada más, y como todo lo que buscas es una ilusión, debes quedarte bajo un árbol, disfrutando de su sombra y esperando el día de tu muerte.

No digo que no te esfuerces, si de verdad quieres esforzarte. Sólo digo que tengas en cuenta que no necesitas nada de eso. Si decides hacer una vida urbana, con ciertas comodidades, necesitarás dinero para comprar objetos y pagar servicios. Necesitarás comida para mantenerte vivo. Pero no necesitas nada para sentirte pleno y dichoso. A eso me refiero. Puedes hacer lo que quieras; la clave es que no lo hagas esperando más de lo que un bien o experiencia pueden darte. La comida puede mantenerte con vida. El coche puede llevarte de un sitio a otro. La casa puede darte comodidad y cobijo. Pero aquí termina la utilidad de lo que consigues. No busques nada más en el mundo material. Usa el mundo material sólo para asegurarte lo mínimo indispensable, a fin de tener una experiencia espiritual.

El cuerpo es tu maestro: escúchalo

El cuerpo sabe. Escúchalo. La experiencia está en tu cuerpo, no en tu cerebro. La felicidad, si quieres llamarle así, está en tu cuerpo. No hablo del placer que sientes al hacer el amor, o al beber tu gaseosa preferida. Ese placer se acaba. Y vuelves a desear lo que te produjo placer. Y el placer acaba nuevamente, en un círculo vicioso perfecto. Por eso es tan difícil salir de cualquier adicción: porque el recuerdo del placer te incita a buscar lo mismo. Después te sientes vacío. Y crees que sólo puede sacarte de ese vacío más placer, luego del cual recomienzas el proceso.

Cuando hablamos de adicciones, pensamos en el juego, el alcohol, el tabaco o las drogas. Y no vemos que a diario somos adictos a sustancias o situaciones mucho más sutiles, que parecen inofensivas pero no lo son tanto. ¿Por qué bebes una gaseosa y no agua? No tiene nada de malo la gaseosa: sólo te engorda y te sube la glucosa, pero esos efectos son mínimos comparados con los de una droga o del alcohol. El verdadero problema es que, cuando tienes sed, no recurres al agua: tu cuerpo te pide tu gaseosa preferida. Ya no se trata de calmar la sed, que es algo completamente natural; hay nacido en ti una necesidad adicional a la de calmar la sed. Hay surgido una pequeña adicción.

El problema, insisto, no es tanto lo que le pasa a tu cuerpo, sino lo que le sucede a tu mente. El cuerpo puede aprender rápidamente, y volver a consumir agua en lugar de gaseosa. El problema es que tu mente te hace creer que te sentirás mejor con la gaseosa que con el agua. No me refiero a sentirte mejor desde el punto de vista de la salud, sino a experimentar el placer del que acabo de hablar. De hecho, no en vano una bebida de fama mundial habla de "destapar la felicidad". De eso se trata: de que caigas en la ilusión de que un vaso de gaseosa te hará "feliz". El inconveniente es que esa falsa felicidad desaparece cuando el vaso se vacía, tras lo cual necesitas otro vaso lleno. Y nunca tienes gaseosa ni felicidad suficientes.

La adicción no consiste, como podría creerse, en la imposibilidad de vivir sin el vaso de gaseosa: se trata de la generación de un sutil círculo vicioso entre el placer momentáneo y el deseo de volver a experimentar ese placer. El cuerpo te pide más de lo mismo: tú obedeces, y el círculo recomienza una vez más.

Existen otras adicciones sutiles: tener más sexo del que tu cuerpo te pide; desarrollar actividad física desmedida (para compensar el exceso de los vasos de gaseosa); comer chocolate mientras miras televisión, e incluso volverte adicto a canciones que despiertan en ti ciertas emociones o recuerdos (melancolía, imágenes de cierto lugar o de un viejo amor, etc.).

En definitiva, la vida en el estado ordinario de conciencia, es decir, de desconexión con tu ser interior, es parte de ese círculo vicioso entre el placer y el sufrimiento. De hecho, esta visión actual de la vida es la que mueve buena parte de la economía. No necesitamos producir todos los bienes de los cuales disponemos en el mercado. Se fabrican para que la gente los compre, y crea que será más feliz teniéndolos. Luego llega la decepción, o el desinterés, el simple olvido o la incorporación de ese bien a la rutina cotidiana, y la búsqueda vuelve a comenzar, dirigiéndose esta vez a otro objeto, otro trabajo, otra relación…

No eres consciente de este proceso; por eso no puedes escapar de él. Se trata de la misma existencia cíclica de la que hablan los budistas, que se produce vida tras vida. Sólo que, en nuestro caso, se produce día tras día, hora tras hora. Y escapar de ambas, de la existencia kármica y del sufrimiento o la decepción cotidianos, requiere la misma salida: la conciencia, la conexión con el ser verdadero que todos somos, incluso sin saberlo.

Cuando hablo de conciencia me refiero simplemente a "ser", es decir, a la experiencia de estar vivo, de sentir que nada malo sucede; la simple alegría de sentir la vida. El placer es tan intenso, que lo reconoces fácilmente. El gozo que provoca la vida misma, en cambio, es más sutil, y está tapado por tus pensamientos, y sobre todo, por las emociones que estos pensamientos generan. Los pensamientos te alejan del cuerpo. Las emociones, por su parte, sólo te recuerdan que tienes un cuerpo cuando son lo suficientemente intensas.

¿Recuerdas esa mala noticia, que te provocó una especie de pinchazo en el estómago? No fue la noticia. Fue la emoción que tu interpretación de la noticia provocó en ti. Sólo entonces notaste lo que le pasaba a tu cuerpo. Pero si la emoción no hubiera sido lo suficientemente intensa, habrías seguido perdido en pensamientos, sin reparar en lo que le pasaba a tu cuerpo.

Si la conexión de la que hablo está relacionada con la alegría de ser, y se experimenta en el cuerpo, ¿por qué no puedes sentirla? Porque estás desconectado de tu cuerpo. Porque tu atención está centrada en pensamientos, en el pasado o en el futuro, y tu cuerpo está aquí y ahora.

Puedes tener un pensamiento acerca del futuro, o puede ser un recuerdo del pasado. Pero la emoción que ese pensamiento genera está en tu cuerpo, y por tanto, está en el presente. Recuerda que los procesos biológicos, en nuestro cuerpo y en cualquier ser vivo, se producen en tiempo real, es decir, aquí y ahora. Presta atención a este detalle. Puedes enfadarte por lo que te dijo ayer un amigo. Pero sentirás el enojo en tu cuerpo aquí y ahora. Si adviertes la sensación que esa emoción provoca en tu cuerpo, y pones la atención en ella, podrás reconocer luego emociones más sutiles. Es una vía poderosa para la conexión con tu ser a través del cuerpo. La emoción te traerá una y otra vez al presente. Te servirá para estar aquí y ahora, y para conectarte con tu cuerpo. Y el cuerpo te permitirá vincularte estrechamente con tu ser interior.

El cuerpo dice la verdad. La mente juzga. La mente miente. La mente crea defensas que niegan lo malo que nos sucede, a fin de evitarnos el sufrimiento. A veces esa estrategia resulta útil. Negar un hecho doloroso nos distancia de él, hasta que el transcurso del tiempo nos permite experimentarlo sin sentir ya tanto dolor. Pero cuando esas defensas nos desconectan por completo del dolor, las emociones negativas quedan retenidas en el cuerpo, y afloran ante cualquier hecho similar. No hace falta que la situación sea parecida. La interpretación que hace nuestra mente puede asemejar un hecho a otro, aunque éstos sean completamente distintos. El cuerpo no distingue entre una situación imaginaria y una real. Lo que sentirás entonces será similar a lo que experimentaste en el pasado. Y las emociones que han sido enterradas vivas en tu cuerpo, renacerán una y otra vez, provocándote un nuevo sufrimiento.

Por ejemplo, si has experimentado un fuerte sentimiento de culpa por haber hecho algo de lo que aún te arrepientes, y sientes esa culpa en tu estómago, cualquier otra situación en que te sientas culpable, te provocará una sensación similar en esa parte del cuerpo. No hace falta que la situación sea la misma. La experiencia pasada puede tener relación con tu pareja, y la actual con tu hijo. Eso no importa. Basta con que, en tu cuerpo, la emoción tenga una energía similar, para que se active así el viejo patrón de respuesta, y tu sentimiento de culpa sea el mismo en ambas situaciones.

Si logras observar ese círculo vicioso emocional sin ser partícipe del mismo, éste perderá peso y poder, como pierden poder tus pensamientos cuando estás conectado con tu ser interior. Puedes rastrear en tus pensamientos los juicios que hoy te hacen sentir culpable. Puedes advertir, quizá, que esa emoción de culpa no proviene tanto de los juicios, sino del recuerdo de una situación pasada que nunca superaste. Si logras experimentar esa emoción de culpa sin rechazarla, y a través de su energía te conectas con tu ser interior, la culpa se disolverá en el seno de la conciencia que simplemente la observa.

¿Recuerdas cuando dijiste que algo no te importaba, y sin embargo tu cuerpo estaba tenso? El cuerpo sabía que eso era importante para ti. Pero tú no querías reconocerlo. Por eso te digo que el cuerpo es tu gran maestro espiritual.

Si subes de peso es porque estás desconectado de tu cuerpo. Tu cuerpo sabe cuánta comida necesitas. Pero tú no lo escuchas. Sientes deseos de comer. Pero no provienen de tu cuerpo. No es una señal que tu cuerpo le envía a tu cerebro, para que te ocupes de él. Sientes ansiedad o alguna otra emoción ligera, que se convierte en tu mente en un deseo de comer. Confundes ansiedad con apetito. Comes. Y sigues ansioso, y además subes de peso. Te sientes culpable por subir de peso, lo que contribuye a alimentar la culpa. La emoción de culpa genera otras emociones negativas. Y estas te llevan a seguir comiendo, pues vuelves a confundir el apetito con alguna emoción, como confundes la necesidad de afecto con el verdadero amor.

Haz la prueba. Cuando sientas deseos de comer, posterga la ingesta de comida. Es muy probable que sea tu mente la que pide comida, y no tu cuerpo. Siéntate en silencio, relájate, y procura no pensar. Concéntrate en tu respiración por espacio de varios minutos, hasta que te sientas relajado. Y luego observa qué ha pasado con tu deseo de comer.

Es curioso: cuidamos más el coche que el cuerpo. Controlamos el nivel de aceite del motor, pero no nos preocupamos por el nivel de toxinas que ingerimos. El coche tiene repuestos, y en último caso puede reemplazarse por otro coche. Nuestro cuerpo es el único que nos será dado a lo largo de toda la vida. No tiene sustituto posible. La vida terrenal depende de nuestro cuerpo. Es el espacio físico que habitamos, en el cual nuestro ser encarna. Es lo que nos permite tener experiencias humanas. Sin embargo, lo tratamos peor que a nuestro coche, al cual lustramos, lavamos y cuidamos como si fuese único. ¿Somos conscientes de esto?

Tu cuerpo sabe. Pregúntale. Está atento. Escucha sus respuestas. Tu cuerpo tiene la sabiduría de la evolución. Sus células son el producto de la evolución biológica, de la perfección alcanzada a lo largo del tiempo. Los mecanismos del cuerpo son asombrosos.

Tu mente, en cambio, nació con tu vida. No tiene el peso de la evolución. Tus pensamientos aparecieron con tu vida. Y cuando desaparecen, tu mente se va con ellos: son un reflejo de lo que has vivido. Tu cuerpo es el reflejo de la perfección de la naturaleza. Sin embargo, le damos más importancia a los pensamientos que al cuerpo. Escuchamos a los demás y les pedimos consejos, en lugar de escucharnos a nosotros mismos a través del cuerpo.

La religión nos alienta a sacrificar nuestro cuerpo con ayunos o esfuerzos extremos, o a olvidarnos de él. O bien considera al cuerpo como una fuente de pecado. Los dogmas ponen a tu cuerpo en un extremo o en otro (sacrificio o pecado), del mismo modo en que lo hacen con la gente: dividen al mundo en gente que cree y que no cree. La que cree, se salva; la que no, va a infierno. Y esta división es parte del mundo dual o bipolar que hemos descrito en la primera parte del libro.

Nadie te dice que puedes encontrar la felicidad a través de tu cuerpo. Si le dijeras eso a alguien muy religioso, probablemente te miraría con desconfianza, y replicaría que la felicidad está en Dios, y no en tu cuerpo. E insisto: confundiría felicidad con placer.

Hay una corriente muy sutil, que anima nuestro cuerpo. Si eres capaz de detener tu pensamiento, o de observarlo como miras las nubes que pasan por el cielo, podrás percibir esa corriente, y también la alegría que brota de ella. Haz el ejercicio. Te aliento a que lo pruebes. No importa que te pierdas en pensamientos. Vuelve una y otra vez a tu cuerpo, a tu respiración, a lo que experimentas en tus piernas, tus brazos, tu estómago. Reconoce las tensiones de tu cuerpo. Examínalo centrando en él toda tu atención. Entra en él, y sal de tus pensamientos.

Tu cuerpo es el reflejo de tu nivel de conciencia. Si estás juzgando al mundo, si te sientes víctima, culpable, o experimentas enfado porque no puedes controlar a otra persona o cierta situación, tu cuerpo estará tenso. Quizá no adviertas qué estás pensando, pues piensas tanto que tus pensamientos son demasiado frecuentes, y por tanto no los reconoces. Sin embargo, puedes prestarle atención a tu cuerpo. Cuanto más te desvincules de los pensamientos, y de las emociones que ellos generan, más liviano te sentirás. Cuanto menos pienses, más ligero sentirás tu cuerpo. Es como si tus pensamientos pesaran más que tu propio cuerpo. Y en cierto sentido es así, ya que son los pensamientos los que determinan lo que tu cuerpo experimenta. El cuerpo está diseñado para autorregularse, y vivir en un estado de paz permanente. Son nuestros pensamientos los que nos atormentan, y tensionan nuestro cuerpo.

El cuerpo es un verdadero milagro de la vida. Millones de células interactuando al mismo tiempo, cumpliendo funciones increíbles, regulando tu metabolismo como ningún mecanismo creado por el hombre podría hacerlo. Tu cuerpo puede matar o amar, dependiendo de lo que tú decidas. Puede alcanzar la paz absoluta, o el sufrimiento más terrible. Es una herramienta más poderosa para alcanzar la paz interior que cualquier libro dogmático.

Si usas el cuerpo y el sexo para matar el tedio, sólo estarás evadiéndote de tu desdicha por el tiempo que dure ese placer. Luego volverás a la situación anterior, y anhelarás el sexo de nuevo. Y así sucesivamente. Si no buscas nada en particular en el placer, y pones toda tu atención en lo que experimentas, ese placer puede servirte para conectarte aún más con tu cuerpo, y profundizar así la conexión con tu ser.

Tu cuerpo está incómodo porque estás desconectado de tu ser interior

Imagina que tu cuerpo y tu mente están representados por una botella de soda. La botella está tensa porque las emociones, que también ocupan tu cuerpo, ejercen presión. Las burbujas de aire son pensamientos, que a su vez generan emociones (presión). Pero cuando la botella está aún cerrada, tú no ves las burbujas (del mismo modo en que no puedes ver tus propios pensamientos si no te conectas con tu conciencia). En este punto, lo único que puedes hacer (en tu cuerpo y en la botella cerrada) es detectar la presión o la tensión.

Cuando destapas la botella, las burbujas (tus pensamientos) suben. Las burbujas van apareciendo lentamente, y luego desaparecen en el seno del agua, como aparecen y desaparecen tus pensamientos en el seno de la conciencia. Ha dejado de ser una botella estanca, para vincularse con el todo a través de la tapa que has quitado.

Del mismo modo, cuando quitas la "tapa" conceptual de tu mente y abres un "agujero", te conectas con la conciencia: te sumerges en el "agua" de la conciencia. Como tú ya eres agua (eres un ser imperecedero), no importa ahora si ella está llena de burbujas. Lo importante es que las burbujas (pensamientos) ya no tienen poder: pierden su fuerza a través de la abertura. Se van lentamente. Y sólo queda el agua, clara, cristalina, eterna… eso es la conciencia. Y en esa conciencia, cuando tú estás conectado con ella como la botella lo está con la atmósfera al quitarle la tapa, se disuelve todo. El aire de las burbujas, que antes tenía tanto poder como tus pensamientos, pierde su fuerza y se vuelve uno con la masa de agua, y con el aire de la atmósfera.

Ahora los pensamientos (las burbujas) fluyen, y se disuelven en el seno de la conciencia (el agua). Se establece un equilibrio. El agua tiene la misma presión que el aire. El agua y el aire se conectan. La conciencia y el aire que respiras están conectados. Tú eres esa conciencia, y no los pensamientos. Eres el agua, no la suma de burbujas de aire. Aunque al fin y al cabo, todo (agua, aire, conciencia) está conectado, Y por eso no sólo tienes vida, sino que eres la vida.

Fíjate. La soda nos resulta con frecuencia más atractiva que el agua. ¿Por qué? Porque nos brinda una sensación de cosquilleo. Porque nos hace pensar que estamos bebiendo algo más que agua.

Con los pensamientos sucede algo parecido. Te hacen creer que eres importante, que tienes una identidad, que eres algo más que mera agua. Y paradójicamente, lo único permanente e inalterable es el agua, o la conciencia. Las burbujas y los pensamientos son transitorios. Y no le agregan nada al agua ni a tu vida.

Piensa que tenemos un alma. Llamémosle espíritu si así lo prefieres. O chispa de vida, si te gusta más. Digamos que es lo que te mantiene con vida. Es la energía que fluye por tu cuerpo, y te permite moverte a voluntad. Si en verdad tenemos un alma, ¿de qué nos serviría sin un cuerpo al que diera vida? ¿Cómo podríamos experimentar sentimientos sin un cuerpo? ¿De qué nos serviría un alma si simplemente vagara errante entre los seres humanos, y nadie pudiera verla, y ella misma no sintiera nada?

Un coche necesita combustible para moverse. Pero con eso no basta: es necesario que una chispa detone el combustible y encienda el motor. Nosotros necesitamos alimento, que nos da energía para el movimiento del cuerpo. Pero también necesitamos una chispa de vida que nos encienda. Esa chispa es la conciencia.

¿Cómo crees que se puso en marcha tu cuerpo por vez primera? ¿Cómo empezó a latir tu corazón? No lo sabes. El ser, lo que te pone en marcha por vez primera y lo que anima tu vida mientras habitas tu cuerpo, no tiene nada que ver con tu corazón o tu cerebro. Es lo que les da energía a ellos. Y ellos a su vez mueven el cuerpo. Pero ¿qué sería del corazón sin energía que lo ponga en marcha? ¿Y qué te mantiene con vida? No basta el corazón. No alcanza con tener sangre y hacer que se mueva. Debe haber algo más, ¿no crees? Por eso aún no se ha podido crear vida de la nada…

La clave no es pensar en el presente, sino estar presente.

Estás aquí para experimentar la dicha de la vida. Pero sólo serás dichoso si estás aquí (es decir, si estás presente). Si te pierdes mentalmente en el pasado o en el futuro, la dicha se desvanece y regresa el sufrimiento.

En realidad no se trata estar en el "ahora", sino de experimentar un espacio de intemporalidad. La conciencia no tiene pasado ni futuro. Es la mente la que crea el tiempo psicológico. La conciencia pura implica experimentar la vida eterna; se trata de una vivencia atemporal.

Es obvio que sólo existe el ahora. Es una verdad de Perogrullo. El pasado ya pasó; el futuro aún no ha llegado. Lo que no es tan obvio es que sólo importa el ahora. Cuando uno se conecta con la conciencia, lo demás literalmente desaparece. No es que todo desaparezca de la mente gracias a la comprensión de que el pasado y el futuro no existen. No se trata de una comprensión intelectual. Uno tiene la experiencia inequívoca de que el momento actual es lo único que tiene real existencia e importancia.

En lugar de la palabra conciencia, o presencia, prefiero hablar de "inmersión" en la experiencia. ¿Has buceado alguna vez? Cuando uno bucea, está inmerso en el agua. No puede escapar de la sensación de estar en el agua. No puede escapar del agua. Uno puede pensar, pero siempre dentro del agua. Y esa inmersión en el agua se da en el ahora, en ese espacio intemporal. El agua no tiene pasado ni futuro. Es agua. Lo mismo ocurre con la conciencia: cuando uno está inmerso en ella, esa experiencia es única. Lo que sucede durante esa inmersión no tiene mucha importancia. En el agua se puede flotar, nadar, o bucear. Da lo mismo. Lo importante es que uno está inmerso, experimentando la conexión con el agua, o con la conciencia.

Existe, sin embargo, una diferencia entre estar sumergido en el agua y flotar en ella. Cuando meditamos, detenemos los pensamientos. Podemos lograr la calma mental, que en mi analogía es similar a flotar en el agua. Estamos en paz, pero seguimos conectados con el mundo externo de los objetos, de los conceptos, pues no estamos totalmente inmersos.

Cuando nos sumergimos en la conciencia, representada por el agua, ya no juzgamos ni rotulamos los objetos, las personas o las situaciones. Ya no flotamos: estamos completamente inmersos. El agua no sólo está debajo de nuestro cuerpo. Nos fundimos con ella en un todo indivisible. El agua se amolda a nuestro cuerpo, y nos rodea por completo. No podemos obviarla. Los poros de nuestra piel están en íntimo contacto con ella.

Lo mismo sucede con la conciencia. Cuando estamos inmersos en ella, vivimos una experiencia inequívoca como la que nos brinda el contacto con el agua. Nos limitamos a ser testigos de lo que sucede, como si llevásemos con nosotros una cámara que no hace más que grabar el mundo exterior.

Así como sentimos una sensación agradable al sumergirnos en el agua cálida, experimentamos un gozo único cuando estamos inmersos en la conciencia de la experiencia actual, con independencia de lo que estemos haciendo en ese momento. Es lo mismo que sucede en el agua: puedes bajar o subir, moverte o mantenerte quieto. No es eso lo que importa. Lo importante es el contacto con el agua.

En ese momento de conexión con el ser, los pensamientos pierden poder, y en ocasiones desaparecen. Seguramente has tenido una experiencia similar en otros planos. Una situación de riesgo inminente, o de éxtasis ante la belleza de un fenómeno natural, te darán la pista de una experiencia análoga. Cuando estás enamorado y miras a los ojos a quien amas, ¿no dejas acaso de pensar? ¿No es más fuerte la experiencia en sí misma que cualquier pensamiento? En esos casos, lo demás no importa, al menos por ese instante. La vida se reduce a ese precioso segundo de arrobamiento. Con la conciencia sucede lo mismo. Si piensas en esa persona que amas, quizá adviertas que arruinas el momento presente. Por lo demás, te das cuenta en ese instante de que ningún concepto puede añadir algo importante a lo que experimentas. Más bien, como digo, pensar o hablar puede restarle peso a la intensa experiencia presente.

Cuando estás en la selva, y el guía te pide silencio para descubrir a un animal esquivo, no piensas en el animal, no haces conjeturas; toda tu atención está puesta en la aparición del animal. Y cuando aparece, tampoco piensas mucho: disfrutas de la experiencia; estás absorto en la observación de un ser vivo que nunca has visto, y que quizá no volverás a ver jamás. Ante el salto espectacular de un delfín en el mar, o cuando contemplas un arco iris de colorido inusual, tus pensamientos sobran. Lo que verdaderamente importa entonces es la experiencia. Y lo que pienses de ella es sólo un pálido reflejo de lo que estás viviendo.

Si pudieras hacer que tu vida fuese así siempre, ¿cómo te imaginas que vivirías? Seguramente querrás refutar esta idea, diciendo que no vives esta experiencia de enamoramiento, de descubrimiento o de éxtasis en forma permanente, y por tanto no puedes dejar de pensar, de recordar, o de anticiparte a lo que vendrá. Es cierto. Sin embargo, basta experimentar una profunda inmersión en la vida para que todo lo demás desaparezca, como desaparece durante esas experiencias especiales, que tan pocas veces tenemos. Por lo tanto, también es posible repetir esa misma experiencia en situaciones cotidianas y comunes. Todo lo que debes hacer es conseguir esa primera experiencia, y repetirla cuantas veces lo desees, simplemente centrando tu atención en lo que experimentas a cada instante. Sumergirte en el momento actual es todo cuanto debes hacer. El resto brotará de tu interior espontáneamente, sin que debas buscar ni hacer nada.

Los animales están atentos. Están íntimamente conectados con su cuerpo, y con sus sentidos. Por eso es imposible sorprender a un pájaro distraído, o acercarse a un ciervo, por más sigiloso que seas. Ellos viven prestando atención. No piensan: viven inmersos en la experiencia. Tienen la bendición de no tener consciencia del tiempo. Experimentan un perpetuo ahora. Mueren cuando les toca en suerte. No sienten culpa, ni les atemoriza el futuro. Disfrutan de la vida tal y cual ella discurre a través de sus cuerpos salvajes.

Presta atención. Reconoce el bocinazo que acaba de sorprenderte en medio de la calle. Advierte si lo que te molesta es el bocinazo del coche, o el hecho de que su dueño oprima la bocina y no te respete. Lo que quiero decir es: ¿te molesta el ruido o la actitud? ¿Te molesta lo que el otro dice, o el hecho de que no esté de acuerdo contigo? ¿Te molesta el pelotazo que acaba de pegarte aquel niño, o te perturba aún más el hecho de que sus padres no lo controlen? ¿Te duele el pelotazo o te duele que no puedes hacer que ese niño se comporte como tú quieres?

Cualquier incomodidad que sientas en el cuerpo es producto de alguna emoción, generada a su vez por un pensamiento, consciente o inconsciente. O directamente por una situación extrema, como por ejemplo el riesgo inminente de muerte. Si un delincuente apoya un revólver sobre tu cabeza, no pensarás demasiado: experimentarás temor en forma automática. Cuando corres el riesgo de morir, pasas a la emoción directamente. No tienes tiempo para pensar. Por eso ese momento es tan intenso. Eres pura conciencia dirigida a la emoción de tu cuerpo. La mente se ha detenido por un instante. Luego, cuando juzgas ese momento y piensas que has estado a punto de perder la vida, vuelves a la mente y abandonas la inmersión intensa en la conciencia.

Si piensas, y te identificas con ese pensamiento (estás adherido a él), te sentirás incómodo, puesto que la mente está analizando, juzgando, comparando, proyectando... Y esta actividad mental se manifiesta en tu cuerpo en forma de emoción y de tensión. Puedes pensar sin experimentar estas emociones, pero para eso debes ser capaz de tomar distancia de tus pensamientos, de observarlos como si pertenecieran a otra persona.

Presta atención... ¿Qué estás pensando? Anota lo que piensas durante sólo unos minutos, y te sorprenderás. Verás que no tiene mucho sentido. Verás incluso que tu actividad mental representa una locura. Está pensando en lo que sucedió ayer, en lo que pasará mañana e incluso en situaciones que viviste hace una década. O estás haciendo conjeturas absurdas. Y estás perdiéndote la vida. En definitiva, estás desconectado de tu cuerpo, que está aquí, inmerso en el presente de la vida.

¿Eres prisionero de tus pensamientos? ¿Tus propios pensamientos te provocan sufrimiento? Si es así, eres esclavo de tu mente. Ya vimos que los pensamientos surgen de un modo misterioso, y tenemos poco control sobre ellos. Suponiendo que no fuera así, y que te volvieras dueño de lo que piensas, cambiar un pensamiento por otro tampoco sería suficiente. Si estás deprimido y piensas "no estoy deprimido; me siento muy feliz", no te servirá de nada ese cambio. Lo que experimentas no depende de lo que piensas, sino de cómo te sientes. Una vez más: no se trata de lo que haces (en este caso pensar), sino de quién eres (cuando piensas).

Tampoco sirve cambiar emociones negativas (tristeza, rencor, nostalgia) por otras positivas (alegría, optimismo). Aunque tus pensamientos disparen emociones positivas, éstas llegaran a su fin, y volverás al punto de partida. Necesitarás entonces reprogramar el sistema, pensar que todo está bien, y alegrarte gracias a alguna fuente externa de estímulo. Pero nada de eso es duradero, ya que los pensamientos cambian todo el tiempo, y las emociones son muy efímeras. Así, controlar lo que piensas y sientes se vuelve una tarea abrumadora y extenuante.

Cualquier vínculo estrecho con tus pensamientos te impedirá ser feliz. Las expectativas generan sufrimiento. Si tienes expectativas estás procurando controlar al mundo. Y como no puedes controlarlo, seguramente sufrirás una decepción. Esperas ansioso tu casamiento, por ejemplo. Llega y sientes que eres feliz. Al día siguiente, comprendes que todo acabó, y que la vida sigue. Cuanto más fervientemente hayas esperado ese momento, más vacío te sentirás luego. Con el tiempo, recurrirás a las fotos. Querrás rememorar el evento para volver a sentirte feliz. Pero sólo lograrás sentir nostalgia, y comprender que el tiempo ha pasado. ¿De qué te han servido tus expectativas? ¿Cuánto tiempo te duró la supuesta felicidad proporcionada por la ceremonia?

La meditación consiste precisamente en observar el pensamiento, sin juzgarlo. Se trata de estar en tu cuerpo, experimentando la corriente de vida que fluye a través de él. Puedes poner tu mente en blanco, o no. De todos modos, como existen pensamientos inconscientes que no puedes reconocer, lo importante no es si piensas o no piensas. Lo más importante es que tus pensamientos no te aparten del cuerpo, es decir, que puedas experimentar la sutil llama de vida que anima tu presencia, y que puedas conectarte con el momento presente. Siente tu cuerpo. Siéntete por dentro. Cierra los ojos y habita tu cuerpo como habitas tu casa. Experimenta la dicha de estar vivo.

No hace falta meditar. No es necesario que vayas a un retiro espiritual. Si meditas, quizá logres una experiencia maravillosa. Pero luego tendrás que regresar a tu vida habitual. Irás al trabajo, y tendrás los mismos problemas de siempre. No puedes decirle a tu jefe: un segundo, por favor, voy a retirarme a meditar media hora, y luego continuaré con mi tarea habitual. Tu vida continúa, de modo que deberás aprender a entrar en el reino espiritual mientras llevas tu existencia diaria. Ese es el secreto. Encontrar la felicidad en lo cotidiano. Despertar a quien realmente eres, con independencia de lo que estés haciendo en ese momento.

Esto contradice a lo que puede contarte un gurú espiritual, o un sacerdote. Te dirán que debes ir a misa, orar en la iglesia, o tener un rosario o crucifijo a mano. Te dirán que debes apartarte del mundo, meditar, conseguir tu mantra personal... ¿Puedes hacer eso? Y si pudieras hacerlo, ¿es lo que de verdad quieres? ¿Vivir apartado del mundo, orando o meditando? Si esa es tu elección, adelante. No dudes en hacerlo. Si por el contrario quieres vivir una vida como la que vive el resto, pero teniendo una experiencia diferente, aprende a conectar contigo mismo sin importar dónde estés o qué estés haciendo...

De hecho, la vida cotidiana es lo mejor para comprobar si estás evolucionando, aligerándote, experimentando la vida de un modo más sutil, o si sigues siendo el mismo. Meditando a solas, en medio de la nada, puedes tener una experiencia sobrecogedora. Pero ¿cómo sabrás si puedes mantenerla, y aplicarla a tu vida en otras situaciones? No tendrás a nadie al lado para poner a prueba tu grado de paz interior. Sin nadie que te insulte u objete tu punto de vista, es fácil sentirse espiritual. El desafío es estar en paz en medio del caos, compartiendo tu vida con gente que no hace lo que te gusta, o no está de acuerdo contigo.

Si nadie te ataca, ¿cómo sabrás qué actitud tomarás cuando te ataquen? Un perro no tiene opción; está determinado por su instinto. Si se siente amenazado, te atacará. Tú, en cambio, puedes discernir; puedes elegir. En eso consiste la libertad. No en hacer lo que quieres, porque en muchos aspectos resulta imposible. No puedes hacer todo lo que te viene en ganas. No puedes controlar si hace frío o calor. Pero puedes elegir cómo responder a esas situaciones. Puedes aceptar o rechazar tu enojo. Si lo aceptas y lo ves, se disolverá en el seno de tu conciencia. Si lo rechazas o lo niegas, lo enterrarás vivo dentro de tu cuerpo, y tarde o temprano volverá a brotar.

Existe una frontera entre el pensamiento, y lo que el pensamiento genera. Puedes estar pensando lo peor de otra persona. Ese pensamiento puede llevarte a golpear al otro. O bien puedes observar ese pensamiento desde un punto de vista neutral, comprender que puedes obviarlo si quieres, sentir la emoción que ese pensamiento genera en tu cuerpo, y decidir a continuación cómo actuar.

El cuerpo no accede a la violencia en forma autónoma. Tú le das la orden. Tú interpretas una situación, y tus pensamientos consecuentes se reflejan en tu cuerpo. Si estás "adherido" a ellos, no tendrás alternativa: el enojo te conducirá a la agresión física. Si puedes abrir una brecha de conciencia entre ese pensamiento y la emoción, podrás decir: "estoy enojado, tengo deseos de golpear a este cretino. Pero... ¿tiene sentido hacerlo? ¿Se merece eso? ¿Qué consecuencias tendrá mi acción? ¿Será positivo para mi vida?". Si has llegado al punto de detenerte, ver tu propio odio y barajar alternativas de acción, estás asomándote ya al mundo de la conciencia, al mundo espiritual, al único mundo en que hallarás la paz interior. En definitiva, estarás dejando de pensar en el presente, para estar presente.

Conectarse con la conciencia es volver a experimentar la inocencia que teníamos cuando éramos niños

¿Has visto a un niño? Aún no sabe todo esto, pero sabe mucho más que nosotros. No porque haya aprendido, sino justamente porque es inocente, ignorante, puro. Ve mucho más que tú y yo. Pero no se da cuenta. Y cuando se da cuenta de lo que ve, lo pierde. Para eso está el mundo exterior: para que veamos el mundo interior antes de perderlo. O para que lo recuperemos luego de haberlo perdido.

Existe un límite en el que te das cuenta. Aún estás en el mundo interior, pero estás viendo al mismo tiempo el exterior. Es un instante. Es como cuando despiertas de un sueño, y puedes ver la realidad y el sueño al mismo tiempo. Hay un adentro y un afuera que coexisten. Pero la situación dura lo que dura una estrella fugaz en el cielo. Si no anotas tu sueño de inmediato, es probable que al cabo de unos segundos se borre de tu memoria.

Con el mundo interior y exterior sucede algo similar. Debes estar muy atento para reparar en ambos mundos al mismo tiempo. De este modo podrás advertir las emociones (tu mundo interno) que despierta en ti el mundo exterior, o viceversa: tu visión del mundo exterior como proyección de tu estado emocional, es decir, interno.

¿Has visto que los niños ríen, juegan y disfrutan como si todo fuera maravilloso? Es que lo es, claro, y ellos lo saben. Es sólo que no lo reflexionan. No dicen: "ah, qué maravillosa es la vida". Si lo pensaran, correrían el riesgo de preguntarse: ¿maravillosa? ¿Quién dijo que lo es? ¿Por qué habría de serlo? Por eso los niños disfrutan: porque no se preguntan nada. Es un poco como el perro que juega con otro, o se despereza al sol. Está tan absorto en la experiencia, que para él no hay nada más.

Cuando un niño juega, no hay lugar para las preguntas, para las conjeturas, para pensar qué pasó ayer y qué pasará mañana. La vida es ese instante en que el niño juega. Él no lo sabe. Por eso experimenta la vida en lugar de pensar en ella. Y por eso es feliz, sin siquiera darse cuenta. Luego crece, y empieza a buscar la felicidad, como el perro busca el hueso que acaba de enterrar. El perro nos parece tonto, pero nosotros hacemos lo mismo, y no nos damos cuenta. Somos más inteligentes que él, y por eso nuestra actitud es aún más inconcebible. La felicidad está enterrada en nosotros mismos, cubierta por la tierra de los pensamientos. Sin embargo, la buscamos afuera.

Pero entonces, si no necesitas nada más... ¿Qué hacer? ¿Para qué todo? ¿Para qué esta vida llena de incertidumbre, de expectativas, de logros y fracasos, de sufrimiento y búsqueda de amor?

Imagina a un niño. Un niño que juega, y crece, y no sabe. Un niño al que nunca le dicen nada. Al que nunca educan. Al que nunca instruyen. Al que nunca le hablan de obligaciones y deberes. Un niño que sigue siendo niño. Pero como ya ha pasado el tiempo, ahora es adulto. Sólo que él no reconoce la diferencia, porque no tiene un espejo en el cual mirarse (no le han mostrado lo que es un espejo), y por tanto sigue siendo como siempre fue: juega, se ríe, crea un mundo exterior que es reflejo de su mundo interior. No sabe quién es, ni qué edad tiene. Transforma una caja en camión, porque como nada existe, y todo lo crea nuestra mente, ¿por qué una caja no puede ser un camión?

Es gracioso. Nosotros hacemos lo mismo que los niños. Sólo que creemos que la caja es de verdad un camión, mientras que él reconoce la diferencia. Él te dirá: "si, es una caja. Pero yo juego a que es un camión". Y mientras juegue, será un camión. Estará tan sumido en el juego, que en ese momento la caja será en verdad un camión. Pero luego, cuando el juego termine, usará esa misma caja para guardar sus juguetes. Y se irá feliz.

Nosotros hacemos lo mismo, sólo que no podemos ver la diferencia, como la ve el niño. "Jugamos" a que el otro es el amor de nuestra vida, a que es lo que necesitamos para ser felices. Jugamos a que nuestros bienes son verdaderos tesoros. Somos más tontos que un niño. No advertimos que es un juego, una ilusión de la mente, un proceso de imaginación como el que usa (inocentemente) el niño. Creemos firmemente en ese juego, y lo transformamos en realidad. Y ahí surgen los problemas. Es como si el niño pretendiera trabajar con su camión ficticio, transportando alimentos en su caja de cartón, y cobrando por ello. Podría hacerlo si otros le siguieran la corriente y lo tomaran como un juego. Pero si quisiera participar del mundo real con esa idea, se vería en problemas, ¿no crees? Pues eso nos sucede a nosotros.

¿Para qué venimos a la Tierra, entonces? ¿Para jugar? ¿Para descubrir que el camión no es camión sino una simple caja? En parte sí. Descubrir que transformamos mentalmente una caja en un camión, nos da un inmenso poder. Nos permite ver que no podemos pedirle al camión que oficie de caja, ni a la caja que haga el camión, ya que eso sólo es posible en un contexto lúdico. Los problemas surgen cuando confundimos lo imaginario con lo real: el poder con la felicidad, el dinero con la libertad, el amor con la autoestima.

Cuando crecemos y aprendemos y miramos a nuestro alrededor, nos convencemos de que la caja de cartón ya no nos alcanza para jugar. Nuestro amigo tiene un camión de plástico, de colores, con ruedas. ¿Por qué habríamos de jugar con una caja? Él es más que nosotros. Nos avergonzamos. Exigimos a nuestros padres que nos compren el camión. Ellos prometen hacerlo, a cambio de que nos comportemos "correctamente". Nosotros obedecemos. Dejamos de ser nosotros mismos, para tener el camión. Hacemos lo que nuestros padres nos piden, y a cambio de nuestra obediencia, nos compran el camión.

Junto con el camión creemos adquirir algo más: nos volvemos importantes; igualamos a nuestro amigo; por fin tenemos lo que tanto deseábamos. Al cabo de un tiempo nos aburrimos, y en lugar del camión queremos una lancha. Y así comienza la víspera del proceso de convertirse en adulto: la búsqueda, los fracasos, las decepciones…

Cuando estás cerca de la muerte, sientes de verdad la vida

Sufrí dos accidentes graves, que no me costaron la vida de milagro. Tras el segundo, en el que murieron cuatro personas y varias acabaron hospitalizadas en estado de gravedad, tuve conciencia de la precariedad de la vida.

Pensamos que, teniendo dinero en el banco, podemos estar tranquilos, y sentirnos seguros. Y todo es una ilusión. Si me hubiera golpeado la cabeza en lugar del codo, hoy no estaría escribiendo estas líneas. Y no me hubieran salvado ni diez millones de euros, ni el mejor médico del mundo. Contratamos seguros médicos para que nos protejan la salud. Y no tomamos conciencia de que podemos morirnos al cruzar la calle, y que, si nos llega la hora, nada ni nadie podrán salvarnos.

Nuestra fragilidad debería alentarnos a estar más presentes, a comprender que la seguridad no existe, y que lo único seguro es que vamos a morir. Lo que no sabemos es en qué momento.

Cuando morimos, la vida sigue. Todos nuestros sueños, nuestro sufrimiento, nuestras ilusiones, nuestras pertenencias, desaparecen. No podemos llevarnos con nosotros nada de lo que teníamos. Y si todo eso se esfuma cuando nos vamos, ¿qué sentido tiene en verdad? ¿Para qué nos aferramos a ello en vida, sabiendo que tarde o temprano moriremos y no podremos llevarnos nada?

Cuando mueras, lo único que quedará aquí será tu cuerpo. Seguirá aquí para que los demás lo reconozcan, y piensen que al hablarle están despidiéndose de ti. Lo único que te pertenece, cuando mueres, es tu cuerpo. Pero sólo por un instante. Luego le pertenecerá a la tierra, al universo, a los procesos de la vida que le dieron origen. Y gracias a tu muerte, volverá a florecer la vida: le cederás tu lugar en el planeta a otras personas. Ya nada material quedará de ti, pues ni siquiera ese cuerpo es tuyo: le ha sido prestado por la vida al espíritu, para que pudiera encarnar. Eso es todo.

He experimentado en carne propia algo que había leído: que la proximidad de la muerte nos hace más conscientes de la vida y de su fragilidad. Ver gente muerta a mi lado me hizo comprender que yo podría haber sido uno de ellos. Vislumbré también algo más profundo, relacionado con el papel que cada uno de nosotros representa en el teatro de la vida: nuestro rol en ese teatro es ficticio. Cuando morimos, nuestro historial de actuación muere con nosotros. A la vida parece darle lo mismo que muera yo, o que muera otro. Lo importante para la vida es perpetuar la vida. Y para eso, paradójicamente, todos debemos morir.

Un muerto es un muerto, tenga el nombre que tenga. Es un número, un nombre en una lista, un lugar en la morgue, una lápida en el cementerio. Si tienes doble apellido, la placa será más larga. Eso es todo. Por eso, cuando me accidenté, comprendí como nunca que la vida es hoy, la vida es ahora, la vida es este instante en que muevo mis dedos para transformar teclas en palabras. Y en este momento, nada más importa. Si muriera ahora mismo, todo lo que hoy creo que enriquece mi vida, moriría también conmigo.

Vivir es más que estar vivo. Vivir es experimentar la vida. Vivir es sentirse feliz por el simple hecho de estar inmerso en el milagro de la vida. Creo que sólo estamos verdaderamente vivos cuando estamos dispuestos a morir ahora mismo. Estamos vivos cuando comprendemos que podemos morir de un paro cardíaco en cualquier momento. Y sólo podemos estar dispuestos a morir si vivimos fuera del tiempo, inmersos en la experiencia intemporal de la conciencia.

Cuanto más integrados estamos a la vida, menos podemos morir. Si somos la vida, ¿cómo podríamos morir? Un árbol muere, pero el bosque sigue con vida. Si me siento árbol, muero. Si formo parte del bosque, aunque me derrumbe, sigo siendo parte de la vida. Mi madera se descompone, se incorpora al suelo en forma de materia orgánica y nutrientes, y vuelve a florecer la vida. No sólo tengo vida; soy la vida.

Después de todo, si no somos la vida, es decir, si no nos sentimos parte de ella, estamos más muertos que vivos. Vida o muerte es sólo una cuestión de escala, o de tiempo. Si viviéramos un solo día pero aspiráramos a vivir cien años, seríamos más muerte que vida. Ser más vida que muerte implica estar plenamente consciente, y no pensar en que, quizá, viviremos sólo un día.

Si viviéramos sólo una jornada pero inmersos en el presente perpetuo en que se desenvuelve la vida, no nos preocuparíamos pensando en que tal vez, al final del día, podemos morir. Ni siquiera sabríamos que existe un amanecer y un atardecer, un invierno y un verano. Si viviéramos sólo un día, pensaríamos quizá que el sol oscila eternamente entre un punto cardinal y otro, yendo y viniendo. Y ni siquiera sabríamos que existe la noche.

¿Qué podríamos hacer en un solo día de vida? Nada. O quizá mucho. Depende de cómo se vea. No podríamos planear un matrimonio, ni una carrera, ni la acumulación de dinero. No podríamos emprender búsqueda alguna. Pero podríamos ser felices, como lo son los niños. Analicemos el día de un niño. Se despierta, juega, es feliz. Se acuesta cansado.... Si muriera durante la noche, se iría en paz, completamente feliz, sin sufrir. Y no necesitó una vida para ser feliz. Fue feliz en un instante, porque estuvo presente, fue consciente, y disfrutó plenamente de la vida, con independencia de lo que ella haya durado, sea un día o cien años.

Y si lo supiéramos, si alguien nos dijera con certeza que sólo estaremos sobre la Tierra hasta esta noche, ¿qué podríamos hacer sino volvernos más conscientes, para que cada hora de vida sea más intensa, y no importe cuándo vamos a morir? No tendríamos tiempo para hacer muchas llamadas, ni para comprar objetos, ni para hacer un viaje, ni para escribir un libro... Tampoco podríamos pensar demasiado. ¿En qué podríamos pensar, si nacimos ayer y moriremos mañana? ¿Para qué perder tiempo en pensar? No habría nada que hacer, más que estar presente, disfrutando de estar vivo, hasta que la vida cese de improviso.

Si supiéramos que moriremos mañana, podríamos lamentarnos, quejarnos, sufrir, preguntarnos por qué, pensar que la vida es injusta, blasfemar contra los animales longevos... O podríamos aprovechar ese día para disfrutarlo y ser felices. Si ahora ampliamos ese día a un año, o diez, o cincuenta, ¿en qué cambia la perspectiva? Me dirás: bueno, es que con tiempo uno puede hacer planes, lograr metas... Sí, es cierto; pero también puedes hacer planes creyendo que vivirás cien años, y morir al día siguiente.

La búsqueda de algo mágico le quita magia a tu vida

Cuando buscas, le quitas a tu vida lo que estás buscando. Si buscas amor, te pierdes el amor. Si buscas una experiencia maravillosa, en esa búsqueda te pierdes la maravilla de la vida.

Toda búsqueda implica pensar en el futuro. Es esperar que algo llegue, o esperar a encontrar algo. Lo cierto es que, como nada se encuentra en el futuro, buscar es una ilusión. Como la dicha está en el presente y la búsqueda implica pensar en lo que vendrá, toda búsqueda nos sume en una brecha entre la experiencia actual y lo que conjeturamos, o entre este instante y lo que sucederá en el futuro. Y esa brecha nos lleva a la insatisfacción.

Buscas una nueva pareja. Lo que quieres es amor. Lo que buscas no es lo que encontrarás buscando. Lo que anhelas no está donde piensas encontrarlo.

Lo que te molesta, o lo que buscas, no es lo que más te importa. Buscas un trabajo mejor remunerado, porque piensas que el dinero te dará seguridad. Lo que te molesta es que ganas poco. Lo que te importa no es ganar más, sino sentirte más seguro, más confiado en que podrás afrontar el futuro con solvencia. La búsqueda está motivada por lo que ves. Pero la finalidad de esa búsqueda se relaciona con tus valores, que no siempre tienes presentes. Y los valores supremos son casi siempre los mismos: asegurar nuestra vida y la de nuestros seres queridos. Estar en paz. Amar y sentirse amado.

Si no sabes lo que quieres, detente. Deja de buscar a tontas y a locas. Ya vimos que no hay nada que buscar, nada qué hacer; ¿qué sentido tiene desesperarse por buscar, entonces? No se trata de hacer, sino de ser. Cuando te conectes con quien eres de verdad, sabrás inequívocamente lo que deseas. No gastes energía en probar a ciegas. No cambies de casa, de localidad, de trabajo. Cambia tú mismo. Deja de pensar. Deja de sufrir. Conéctate con tu cuerpo. Conéctate con tu ser, y lo demás vendrá por añadidura.

Sé que te parecerá extraño, pero debes confiar. Si confías en el proceso, y confías en ti mismo, descubrirás lo que quieres. Mientras tanto, comprende que no hace falta nada. No hay lugar adónde ir. Todo sucede aquí y ahora. Cuando ganes un concurso, el dinero llegará a ti en tiempo presente. Una persona te lo entregará en el ahora. Aunque preveas esta situación futura con toda la fuerza de tu imaginación, no sucederá en el futuro. Ocurrirá en tiempo presente, cuando tenga que ocurrir. O no sucederá nunca, y habrás fantaseado en vano.

Si miras el mundo, verás que todas las personas hacen más o menos lo mismo. Buscan un trabajo, forman una familia, consiguen una casa, procuran progresar… Se afanan por tener cada vez más. Y cuando no lo tienen, a menudo sienten que el tiempo ha pasado en vano. Ponen el acento fuera de sus propias vidas: en la vida de sus hijos, de sus padres, en el trabajo, en lo que consiguieron o esperan conseguir. Y les parece normal. Son mis hijos, argumentan, ¿cómo no ocuparme de sus vidas? ¡Quiero lo mejor para ellos! Piensan en el otro. Y no reparan en su propia vida. Los padres se ocupan de sus hijos. Creen saber qué es lo mejor para ellos, y procuran dárselo. Creen que serán felices si sus hijos lo son. Sufren cuando ellos se casan con una persona que no aprueban, cuando consideran que no ganan lo suficiente, o cuando sus propios hijos sufren.

Todos supeditan su vida a la vida de los demás. En cierto modo, todos viven vidas ajenas. Nadie se ocupa de su propia felicidad porque está preocupado por la felicidad del otro, o esperando que el otro lo haga feliz. Y así se pasa la vida. Nadie hace feliz a nadie, claro. Nadie se detiene a tiempo para experimentar la dicha en su propia vida. Y el círculo continúa, de padres a hijos, de hijos a nietos…

Todos repiten la fórmula, esperanzados en que dará resultado. Al fin de cuentas, si todos lo hacen, será por algo… Si generación tras generación la gente copia la misma estrategia, algún sentido tendrá, piensan. Fulano se casó. Mengano también. ¿Por qué no habría de casarme yo? Al fin de cuentas soy uno mas; soy igual al resto, ¿por qué no seguir la corriente?

La presión es enorme. Si todos los peces se dejan llevar por la corriente, y tú remontas la corriente como un salmón, te mirarán como a un loco. Te harán sentir extraño. Te preguntarán qué te propones, qué deseas probar, para qué te rebelas… Y quizá te convenzan de seguir la corriente.

Todos buscan algo: más dinero, más amor, más contactos, reconocimiento, gloria… ¿Qué podrías hacer tú sino repetir ese patrón? Los ves a todos correr desesperadamente. ¿Qué podrías hacer sino correr? No les preguntes si esa carrera les sirve para algo. Es una pregunta demasiado incómoda. Y el problema es que ellos pueden devolvértela, y ponerte en aprietos…

¿Crees que serías feliz si ganaras un millón de euros en la lotería? ¿Si tuvieras fama? ¿Has visto cómo sufren los famosos? ¿Te has preguntado por qué? Tú ansías más dinero, fama, poder… Crees que si los tuvieras, serías feliz. Pero los famosos están peor que tú. Han accedido a eso que tú tanto anhelas. Y han comprobado que siguen siendo desdichados. Entonces se desesperan. Han dado su vida por cumplir ese sueño. Y lo han cumplido. El inconveniente es que no les ha servido para nada. Esperaban ser felices, y en cierto sentido están peor que antes: la gente los persigue, no tienen paz, deben cumplir con las expectativas de los demás, deben rendir cuentas (a sus fans, a la prensa, a los críticos, a los empresarios que manejan sus carreras…).

Los famosos se casan con otros famosos. Cambian de pareja. Pero no logran escapar del papel que la fama les ha impuesto. El demonio de la ficción se ha apoderado de sus cuerpos, de sus vidas, al punto que confunden el papel social (que los ha hecho famosos) con su verdadera identidad. Con frecuencia la identificación con ese rol ficticio es tan profunda, que no consiguen sobrellevar el peso de la fama, y acaban por sumergirse en el mundo de las drogas, o del alcohol. Están poseídos por la fama. Están presos. Y tú los envidias. Quieres eso para tu vida. Dejas de disfrutar de tu existencia actual para buscar una vida como la de ellos. Si no la encuentras, te sientes decepcionado. Y si la encuentras, también te decepcionas, pues no era lo que tú creías…

¿Crees que serías feliz con una casa más grande? Cierra los ojos. El mundo ha dejado de existir para ti. Imagina ahora que estás en el palacio más lujoso del mundo. Agudiza tu imaginación, y procura verlo como si realmente estuvieras ahí. Ahora dime. ¿Eres feliz? ¿Encuentras alguna diferencia entre estar sentado donde estás, y estar en un palacio? ¿Tiene ese lujo algo que ver contigo, con tu vida, con tu cuerpo, con tu ser? Ahora cambia esa imagen mental por otra, la que quieras. Y dime. ¿En qué ha cambiado tu ser? ¿Qué podrías encontrar en un palacio que sea capaz de transformar tu vida al punto de darte mágicamente la felicidad? ¿Existe acaso alguna relación entre el lugar en que estás y cómo te sientes?

Si aún tienes tus ojos cerrados, dime: ¿eres feliz con los ojos cerrados? Si lo eres, seguirás siéndolo cuando los abras, ya sea que estés en un palacio o en la casa de un pordiosero. Y si no eres feliz sin ver, no esperes que la visión del palacio traiga felicidad a tu vida…

Buscas experiencias excitantes, que marquen a fuego tu memoria. Piensas que si cambias todo el tiempo, si sales de la supuesta rutina, tu vida tendrá más sentido. Tomas fotos de tus viajes, para mirarlas unos años después, sentirte orgulloso de que has estado ahí, y para mostrárselas a tus amigos, que te admirarán por lo que has hecho.

Compras un coche nuevo. Estás orgulloso. Lo limpias, lo admiras. Alguien le da un golpe mientras estaba aparcado. Vuelves y descubres la abolladura. Te enojas. Buscas a tu alrededor. Nadie repara en tu furia. El coche ha dejado de ser perfecto: tiene ahora una imperfección en el guardabarros. Sin embargo, funciona igual. De hecho, funciona perfectamente. Si fueras ciego no te habrías enterado del desperfecto. Pero no puedes evitar que ese hecho te moleste.

Reflexiona... Al coche la abolladura no lo afecta: sigue funcionando como antes; sigue cumpliendo con la función para la cual lo has comprado. A ti tampoco te afecta el golpe: no está en tu piel, ni en tus huesos; está en el coche. Sin embargo, te enfureces, y llevas a reparar el coche para que vuelva a tener el aspecto que tenía antes del choque. ¿Para qué haces eso? ¿A quién le importa verdaderamente cómo se vea el coche? ¿Para qué quieres que se vea perfecto? ¿Para que los demás te admiren? ¿Para que otros envidien la perfección de tu coche? ¿En qué te ayudará eso? ¿En qué cambiará tu vida el hecho de que los demás admiren tu coche? ¿Agregará algo a tu existencia? ¿Necesitas esa supuesta perfección?

Fíjate un poco. El coche sólo te sirve cuando estás dentro de él. Y cuando estás en él, el desperfecto no se ve. De hecho, lo ves cuando estás fuera. Y cuando estás fuera del coche, éste se vuelve inútil: no puedes conducirlo desde el exterior.

Compramos coches por su aspecto externo. Y sólo nos sirven cuando estamos dentro de ellos. Y cuando estamos dentro, no sabemos de qué color son, ni qué línea tienen, ni cómo son sus luces... Si te pregunto qué buscas cuando miras las líneas de un coche, y lo compras, ¿tienes la respuesta? Me dirás: lo compré porque me gustó. Pero eso no responde a mi pregunta, sobre todo cuando tenías un coche relativamente nuevo, y sentiste de improviso que debías comprar uno mejor, más caro, más nuevo, más rápido, más grande...

¿Tenías en claro qué buscabas con esa compra? ¿Lo sabes? ¿Podrías mirarte al espejo y decirte a ti mismo que has conseguido aquello que buscabas cuando compraste el coche? Si lo compraste hace más de un año, ¿sientes aún la misma sensación que cuando lo llevaste a tu casa por primera vez? ¿Por qué tu sensación de dicha ha decaído? ¿Porque estás aburrido de ver el mismo coche todos los días? ¿Porque el coche ya no es nuevo como lo era entonces?

Lo mismo sucede con las casas. Las diseñamos para que se vean hermosas por fuera. Sólo las vemos por fuera cuando llegamos; pero lo importante luego es cómo son por dentro. ¿Qué buscamos cuando pensamos en que nuestra casa se vea linda por fuera? ¿Qué los demás nos digan cuán bella es nuestra casa? ¿Qué nos envidien? ¿Qué agrega eso a nuestra vida? ¿La envidia ajena nos hace más felices?

El problema que tienes, ¿está dentro o fuera de ti? Está lloviendo. ¿Tu problema es que no tienes paraguas, y debes salir a pesar de no tenerlo? ¿O tu problema es que esperabas un día de sol, y en cambio llueve? La lluvia, es decir, la situación, es siempre la misma. Llueve. Es un hecho. Puedes decir que el día está horrible, pero esa no es más que tu opinión. Si a alguien le gusta la lluvia, opinará lo contrario.

Si no tienes paraguas, tienes sólo dos opciones: aceptar que llueve, salir y mojarte; o bien quedarte en tu casa, y salir cuando no llueva. El problema no es la naturaleza. El problema nunca está afuera: está en ti. Si esperabas un día de sol, ¿quién ha generado el problema? Tú mismo, que sufres porque esperabas algo que no sucedió.

¿Aceptas el mundo tal como es, o te resistes a lo que sucede? No me refiero solamente a las personas, a aceptar su modo de ser. Me refiero a todo lo que sucede a tu alrededor a diario. ¿Lo aceptas? Seguramente me dirás que sí. Sin embargo, si reconoces alguna incomodidad en tu cuerpo, o algún pensamiento relacionado con que todo debería ser diferente, esto significa que no aceptas lo que sucede. Y en tanto no lo aceptes, seguirás creando incomodidad, insatisfacción, sufrimiento…

Fíjate bien. No es el mundo el culpable. Es tu interpretación de que todo debería ser diferente. ¿Por qué habría de ser distinto? Y aunque tu punto de vista sea el mejor, y otros estén de acuerdo contigo, ¿como harás para crearte un mundo a tu medida? ¿Acaso eso es posible? Si piensas así, no sólo seguirás sufriendo: propiciarás el sufrimiento ajeno, puesto que no aceptarás a las personas como son, y ellas también te rechazarán a ti.

Tu incomodidad, tu sufrimiento, tu malestar, surgen de la no aceptación de la realidad, ya sea interna (lo que sientes), o externa (lo que sucede en el mundo). El mundo que nos rodea es tan vertiginoso y abrumador, que parece normal cierto grado de rechazo de lo que sucede. Sin embargo, es posible estar en medio de una guerra, y aceptar el ambiente de violencia que la caracteriza. No me refiero a estar de acuerdo con los motivos de la guerra, o con la guerra en sí misma como situación. Me refiero a aceptar que lo que es, simplemente es. Las bombas y las balas que atraviesan el aire están ahí. Rechazarlas mentalmente no podrá detenerlas. Aceptarlas es un modo de lograr la paz interior en medio de la violencia. Y cuanta más paz interior haya en cada persona en medio de la guerra, menos guerra habrá (en esa persona, y por tanto, también en el mundo exterior, en la medida en que esas personas sean más y más).

Buscas paz, amor, dicha... Y paradójicamente, eres lo que estás buscando. Es sólo que no puedes distinguirlo porque no puedes separar la búsqueda de lo que ya eres. Deja de buscar, y ve qué sucede...

Buscas porque crees que te falta algo. Tu creencia tiene sentido, puesto que si te faltara algo, estarías incompleto. Y si estuvieras incompleto, reflexionas, no podrías ser feliz. Lo cierto es que no te falta nada. Y si te faltara algo en el mundo de la forma, incluso una pierna o un brazo, tu interior seguiría estando completo e intacto. Y es ese mundo interior el que alberga la dicha que te pasas la vida buscando....

Vive la experiencia de "no necesitar nada más". No creas en mis palabras. Ten esa experiencia en la naturaleza. No la persigas con otro ser humano, porque caerás nuevamente en la ilusión y en la búsqueda. Si estás enamorado, creerás que con tu pareja te basta, y que "no necesitas nada más". Pero no es eso a lo que me refiero.

Encuentra un sitio tranquilo, en medio del campo, rodeado de naturaleza. Procura estar solo, o que otras personas no estén hablando contigo, o pendientes de tu presencia. Corta mentalmente los vínculos con el exterior (relaciones, trabajo, etc.), imaginando que cortas finos hilos que te conectan con el mundo.

Sumérgete en este precioso instante. Experimenta la vida, tanto dentro de tu cuerpo como fuera de él. Fúndete con el canto de los pájaros y el aire que respiras. Vuélvete uno con el todo. Si te pierdes en pensamientos, regresa una y otra vez a esta experiencia. Cuando puedas reconocerla, relaciónala con la respiración. Siente la vida y la respiración, una y otra vez, de modo que puedas anclar esa experiencia, y recuperarla cada vez que respiras. Cuando lo consigas, podrás sentir lo mismo en cualquier parte, incluso en la oficina o el comedor de tu casa.

Mientras estás inmerso en esta experiencia tan simple y maravillosa al mismo tiempo, descubre por ti mismo el engaño en el que incurres a diario: buscar la felicidad te impide ser feliz.

Abandona toda lucha, toda resistencia, todo anhelo, toda búsqueda. Líbrate de toda atadura. De este modo, ya no necesitarás per-

seguir la felicidad: brotará naturalmente dentro de ti. Y esa energía hará posible que todo lo demás suceda de manera espontánea, del mismo modo en que el sol hace posible la vida en la Tierra.

La vida es inexplicable, misteriosa, mágica. Buscarle explicaciones y querer develar sus misterios nos impide disfrutarla. Aceptarla tal y como es nos transporta directamente a la dicha y a la paz.

JORGE GUASP